Olga van der Meer

Een dag later

Westfriesland

Eerste druk in deze uitvoering 2007

NUR 344
ISBN-13: 978 90 205 2813 8

Copyright © 2007 by 'Westfriesland', Hoorn/Kampen
Omslagillustratie: Allied Artists
Omslagontwerp: Van Soelen, Zwaag

voor. Die tijd hadden ze gehad. Hoewel, zo was het eigenlijk nooit tussen hen geweest. Freek was een man op wie ze kon steunen, een veilige basis, iemand aan wie ze zich vastklampte en die voor haar zorgde. Overweldigend verliefd was ze nooit op hem geweest. Maar ze hield van hem en wilde hem niet kwijt, ondanks dat ze regelmatig besprongen werd door het gevoel dat er iets niet klopte, dat het leven anders zou moeten zijn.

Freek was echter de vaste, constante factor in haar leven na een heleboel woelige, ingrijpende gebeurtenissen uit haar jeugd. Ze zou niet weten wat ze zonder hem moest beginnen. Pas toen het volkomen donker was, realiseerde Franka zich met een schok dat het al behoorlijk laat moest zijn. Freek was vast allang thuis.

Snel zocht ze haar wagen op en een kwartier later reed ze de inrit van hun grote eengezinswoning op. Het licht brandde al, zag ze. Door het keukenraam zag ze Freek bezig aan het gasfornuis en even stroomde er een warm gevoel door haar lichaam. Ze kende genoeg mannen die in zo'n geval op de bank gingen zitten mopperen omdat vrouwlief niet thuis was en het eten niet op tafel stond, maar zo was Freek nooit geweest. Hij vond het vanzelfsprekend dat de huishoudelijke bezigheden door hen samen gedaan werden, zonder dat iemand een vastomlijnde taak had. Hij deed simpelweg wat er voor zijn handen kwam. Omdat Franka normaal gesproken eerder thuis was dan Freek, zorgde zij meestal voor het eten, maar het kwam niet in zijn hoofd op om te gaan zitten wachten tot zijn bord hem aangereikt werd.

Hij lachte haar warm toe bij haar binnenkomst.

"Ha, ben je daar? Je bent zeker naar het strand geweest," begreep hij. Hij kende zijn vrouw. Zo af en toe moest ze er even uit om alle muizenissen uit haar hoofd te laten waaien. Zo was het van het begin af aan al geweest.

"Ja. Ik ben de tijd helemaal vergeten, sorry," verontschuldigde Franka zich. "Wat eten we?"

"Nasi," antwoordde Freek opgewekt terwijl hij twee borden op de tafel zette. "Ik had echt zin om me eens uit te leven in

HOOFDSTUK 1

De zon zakte bloedrood weg in de zee en liet een schitterende, roze lucht achter. Franka Kokshoorn keek er gefascineerd naar. Ze reed regelmatig de korte afstand naar het strand om de zonsondergang te bekijken, maar iedere keer trof het haar weer alsof ze het voor het eerst zag. Een mens voelde zich heel erg nietig bij zoveel natuurschoon, dacht ze peinzend bij zichzelf. Diep snoof ze de zilte zeelucht op, één moment lang volkomen verzoend met het leven. Meteen daarna kwam ze tot de ontdekking dat het lang geleden was dat ze zich gelukkig had gevoeld, wat direct een domper op haar stemming zette. Met haar handen diep in de zakken van haar dikke jas gestoken en haar capuchon om haar hoofd als bescherming tegen de snijdende wind, liep ze langs de vloedlijn. Het drong tot haar door dat dit uitstapje naar het strand het hoogtepunt van haar week was, een ontdekking die haar nogal somber stemde.

Ze was zesendertig, het was toch niet normaal dat haar leven zo vlak en saai verliep? Ze was jong, gezond, had een leuke baan bij de klantenservice van een postorderbedrijf, was sinds zestien jaar getrouwd met Freek en ze woonden in een oud, stijlvol huis dat recentelijk helemaal gerenoveerd was en nu aan alle eisen van deze moderne tijd voldeed. Het oude huis van haar opa, naar wie Franka vernoemd was en bij wie ze altijd een streepje voor had gehad. Het huis was groot en zonnig en bood meer dan voldoende ruimte voor hen tweeën. Bovendien hadden ze het financieel erg goed en konden ze gaan en staan waar ze wilden, dus Franka had absoluut geen enkele reden tot klagen. Dat hield ze zichzelf dan ook voortdurend voor, toch wilde dat gevoel van onvrede niet wijken. Het was allemaal zo voorspelbaar, zo eentonig. De ene dag liep naadloos over in de volgende, zonder dat er iets gebeurde. Freek en zij hadden het goed samen, maar daar was dan ook alles mee gezegd. Hun relatie kenmerkte zich niet bepaald door vrolijkheid of verliefdheid. Dat kon ook niet meer na zestien jaar, hield Franka zichzelf

5

de keuken. Ik heb er van alles bij. Saté, kleine gehaktballe-
tjes in zoetzure saus, eieren met sambal en kroepoek."
Franka dekte de tafel verder terwijl Freek de laatste hand
aan het eten legde. Tijdens het eten vertelden ze elkaar, zoals
altijd, kleine voorvallen van hun dag. Freek bezat een elek-
tronicazaak en daar kon hij enthousiast over vertellen. Als
echte computerfreak kon hij uitgebreid uitweiden over alle
details en mogelijkheden van de nieuwste computers, iets
waar Franka altijd maar met een half oor naar luisterde. Wat
haar betrof kon hij net zo goed overgaan in het Russisch, dat
was voor haar even onbegrijpelijk. Eensgezind deden ze
even later samen de afwas, daarna trokken ze zich terug in
de ruime zitkamer. Franka zette de televisie aan, Freek
pakte een boek. Zonder het echter van elkaar te weten konden ze allebei hun aandacht niet houden bij datgene wat ze
aan het doen waren. Franka staarde weliswaar naar het
beeldscherm, maar haar gedachten vlogen alle kanten op. Ze
vond het af en toe nog steeds een vreemd idee dat ze nu
woonde in het huis waar ze vroeger zoveel uurtjes had doorgebracht, samen met haar opa Frank. Haar oma was al overleden toen Franka een baby was en opa had zich opgeworpen als oppas en later als vertrouwenspersoon. Met hem kon
ze alles bespreken wat ze niet bij haar ouders kwijt kon.
Ondanks zijn leeftijd kon hij begrip opbrengen voor de onzekere puber die ze was geweest en zijn adviezen hadden nooit
belerend geklonken, zoals die van haar ouders.
„Wacht vierentwintig uur voor je belangrijke beslissingen
neemt," placht hij steevast te zeggen. „Een dag later kijk je
meestal heel anders tegen de zaken aan dan in de emotie van
het moment. Het geeft je de tijd om rustig na te denken en
alles op een rijtje te zetten."
Dat advies had Franka al heel wat keren toegepast in haar
leven. Inmiddels was het ook haar lijfspreuk geworden.
Impulsieve beslissingen nam ze allang niet meer, zelfs niet
als het om onbelangrijke zaken ging. Opa had haar geleerd
altijd goed na te denken en een weloverwogen antwoord te
geven als haar iets gevraagd werd. Zelfs bij het huwelijks-

aanzoek van Freek had ze deze gouden regel toegepast. Ze had toen al zoveel meegemaakt dat ze uit ervaring wist dat haar opa gelijk had met deze woorden. Als net zestienjarige had ze een stormachtige verhouding beleefd met een man van eenendertig, een verhouding die niet zonder gevolgen was gebleven. Pas toen ze Eric vertelde van haar zwangerschap had hij bekend dat hij al jaren getrouwd was en drie kinderen had. Op een vierde zat hij niet te wachten, had hij gezegd. Haar eerste impuls was geweest om naar Erics vrouw te stappen en haar alles te vertellen, maar na een dag nadenken had ze dat plan laten varen. Niemand zou erbij gebaat zijn als ze een heel gezin in de ellende stortte, zijzelf ook niet. Het zou misschien eventjes een gevoel van voldoening geven, maar vervolgens zou ze de rest van haar leven moeten doorbrengen in de wetenschap dat ze drie onschuldige kinderen ongelukkig had gemaakt. Ook de beslissing om wel of geen abortus te ondergaan had ze pas genomen na intensief nadenken, al had ze daar wel langer dan een dag voor nodig gehad. Uiteindelijk had ze de zwangerschap uitgedragen en de baby afgestaan voor adoptie. Het was een meisje en ze had haar zelf de naam Romy gegeven, maar ze wist niet of de uiteindelijke adoptiefouders die naam hadden aangehouden. Als fervente fan van de Sissifilms had ze altijd geroepen dat ze, als ze ooit een dochter zou krijgen, haar naar de beroemde filmster Romy Schneider zou noemen. Het was een herinnering die nu nog, twintig jaar later, een glimlach op haar gezicht bracht. Ach, ze was tenslotte pas zestien geweest. Nu zou ze er niet meer over piekeren om een kind naar een beroemdheid te vernoemen, alleen was dat nu niet meer aan de orde. Hun huwelijk was kinderloos gebleven en Franka was daar eerlijk gezegd helemaal niet rouwig om. Het verleden had ze afgesloten en verwerkt, ze dacht eigenlijk nooit meer aan Romy, maar behoefte aan een herhaling van die zwangerschap had ze niet. Het was goed zoals het was, al moest ze dat tegenwoordig steeds vaker tegen zichzelf zeggen. Op de een of andere manier werd het steeds moeilijker om die gevoelens van onvrede te negeren.

Het leven was zo vlak en gladjes geworden. Al had ze moeilijke jaren achter de rug, saai was het in ieder geval niet geweest, dacht ze met galgenhumor.

Ze merkte niet dat Freek over zijn boek naar haar keek en zich afvroeg wat dat plotselinge lachje op Franka's gezicht te betekenen had. Waar dacht ze aan? Hij wist het niet. Franka maakte hem nooit deelgenoot van haar gevoelens. Over het verleden praten deed ze zelden en uit ervaring wijs geworden vroeg hij er nooit naar. Op dat gebied was ze zo gesloten als een pot. Ze beweerde altijd dat het verleden niet meer telde, dat ze het afgesloten had, maar hij betwijfelde dat ten zeerste. Hoe kon een vrouw een dergelijke ingrijpende gebeurtenis zo goed verwerken dat ze er zelden meer aan terugdacht? Hij begreep niet dat ze er nooit over wilde praten, maar had zich erbij neergelegd, zoals hij zich bij meerdere dingen had neergelegd. Het feit dat ze naar zijn gevoel geen gelijkwaardige relatie hadden bijvoorbeeld. Als jong, labiel meisje had Franka zich aan hem, de elf jaar oudere man, vastgeklampt en eigenlijk was dat nooit veranderd. Soms voelde hij zich meer haar vader dan haar echtgenoot. Op het eerste gezicht leek Franka een vlotte, moderne, zelfstandige vrouw, hij wist echter dat de werkelijkheid anders was. Ze was afhankelijk van hem, nog steeds.

Onwillekeurig zuchtte Freek diep. Hij speelde wel eens met de gedachte om Franka te verlaten en opnieuw te beginnen, maar daadwerkelijk zo'n grote stap zetten was toch heel iets anders dan erover nadenken. Hij voelde zich verantwoordelijk voor Franka en ergens hield hij nog steeds van haar, al had hun huwelijk dan niet gebracht wat hij gehoopt had. Misschien was het anders gelopen als ze een paar kinderen hadden gehad. Daar had hij altijd naar verlangd, een gezin van hemzelf. Helaas bleek dat niet voor hen weggelegd te zijn. Hij had ooit voorgesteld om te laten onderzoeken waarom een zwangerschap uitbleef, maar Franka had daar zo fel tegen geprotesteerd dat hij nooit meer op dat onderwerp terug was gekomen. Voor haar lag dat uiteraard heel gevoelig, dat begreep hij wel. Toch bleef het jammer. Hij was nu zevenenveertig, het kon nog. Soms droomde hij ervan om gewoon de boel de boel te laten en op zoek te gaan naar een vrouw die wel kinderen met hem samen wilde. Het zou echter bij dromen blijven, wist hij. Hij was er de man niet naar om iets dergelijks te doen, daar was hij veel te serieus voor. En slecht hadden ze het niet samen, dat was het niet. Hij kon zich best voorstellen dat hij nog dertig jaar met Franka getrouwd zou blijven, dat was heus geen gedachte die hem angst aanjoeg. Het was echter ook geen gedachte die hem blij stemde, maar daar dacht hij bewust niet aan.

Zo verstreek de avond in stilte, op af en toe een losse opmerking na. Twee mensen, niet gelukkig, maar ook niet ongelukkig, gevangen in de maalstroom van het leven.

„Ik zou het niet doen als ik jou was. De kleur flatteert je niet, bovendien maakt dit model je kleiner." Kritisch keek Romy van Roodenburg naar het jonge meisje in het rode pak. Als verkoopster in een kledingzaak had ze er kijk op, toch schudde het meisje haar hoofd.

„Paul houdt van rood," zei ze met overtuiging. „Hij zal het schitterend vinden."

„Als je per se iets roods wilt ter wille van je vriend, kies dan voor een donker pak en draag er een rode blouse onder," adviseerde Romy.

„Nee, het wordt deze." Het meisje draaide rond voor de lange passpiegel. „Ik vind dit een leuk pak."

„Oké dan." Schouderophalend liep Romy naar de kassa, ze ving nog net de grijns van haar collega en tevens vriendin Heidi Moenen op.

„Aan sommige klanten is je energie verspild," lachte ze nadat het meisje had afgerekend en met haar nieuwe pak de winkel had verlaten.

„Als ze zo eigenwijs zijn heeft het weinig nut om advies te geven," was Romy het met haar eens. „Enfin, als ze er zelf maar gelukkig mee is."

„Ik vind het jammer dat ik het gezicht van die bewuste Paul niet kan zien als hij zijn geliefde in dat pak ziet," grinnikte

Heidi. „Trouwens, gaan wij vanavond nog uit? Er is een nieuwe tent geopend op het plein. Het schijnt daar erg gezellig te zijn."

„Hoe weet je dat als het een nieuwe zaak is?" vroeg Romy zich hardop af terwijl ze de kas begon op te maken. De drukke zaterdag was gelukkig voorbij. Het hard stormgelopen vandaag en ze voelde haar voeten.

„Mond-tot-mondreclame," antwoordde Heidi achteloos. „Hij is sinds een week open. Nou, wat doe je? Ga je mee?"

„Eigenlijk heb ik heel weinig zin," bekende Romy. „Ik ben moe en ik voel me de laatste tijd een beetje grieperig."

„Hè, wat ongezellig. Je gaat je kostbare zaterdagavond toch niet samen met je moeder op de bank doorbrengen?" vroeg Heidi misprijzend.

Romy schoot in de lach. Heidi liet dit klinken alsof ze van plan was een moord te plegen of zo.

„Wat is daar mis mee? Ik ben niet zo'n uitgaanstype, dat weet je best. Alle mensen die zaterdagavond gaan stappen liggen de halve zondag met een kater in bed, dus daar mis ik niks aan."

„Laten we dan in ieder geval eerst ergens iets gaan drinken voor we naar huis gaan," drong Heidi aan. „Dan kunnen we even lekker bijkletsen. Daar is de laatste week niets van gekomen."

Daar kon Romy weinig tegenin brengen. Hun directe chef, de bedrijfsleider van deze winkel, had zich begin van deze week ziek gemeld, zodat de twee jonge vrouwen samen de winkel gerund hadden. Dus liepen ze even later samen naar een klein café, enkele panden naast de winkel. Ze zaten hier vaker met zijn tweeën, ook wel eens tijdens hun lunchpauze.

„Jij blijft vanavond dus thuis bij je moeder," opende Heidi het gesprek toen ze samen aan een tafeltje zaten, terugkomend op hun eerdere onderwerp.

Romy knikte. „Misschien gaan we wel een spelletje doen," plaagde ze, wetend dat haar vriendin daar een aangeboren afkeer van had.

Heidi rilde dan ook gemaakt. „Jij liever dan ik. Voel je echt een griepje opkomen of is dat een smoes om niet mee te hoeven gaan?" vroeg ze toen rechtstreeks.

„Je weet best dat ik daar geen smoesjes voor nodig heb," wees Romy haar geïrriteerd terecht.

„Rustig, het was maar een vraag," bond Heidi haastig in. „Maar je bent anders dan anders de laatste dagen. Is er iets aan de hand?" Onderzoekend keek ze haar vriendin aan.

„Eigenlijk wel." Romy aarzelde even voor ze verder sprak. Haar handen plukten nerveus aan het bierviltje dat op tafel lag. Gedachteloos trok ze er steeds een klein stukje af, tot de tafel bezaaid lag met kleine snippertjes. „Ik speel steeds vaker met de gedachte om mijn biologische ouders op te sporen," gooide ze er toen onverwachts uit.

Heidi trok verbaasd haar wenkbrauwen op. Ze wist dat Romy als baby geadopteerd was, maar ze had nog nooit eerder over haar biologische ouders gerept. Heidi wist niet beter of Romy vond het wel best zo.

„Sinds wanneer ben jij daarmee bezig? Ik heb je nog nooit over je echte ouders gehoord, zelfs niet toen je vader en moeder gingen scheiden. Op dat moment had ik het wel begrepen, maar nu... Hoe komt dat zo ineens?"

„Geen idee." Romy trok met haar schouders. „Ik heb ook geen concrete plannen of zo, de gedachte komt alleen af en toe bij me op. Ik vraag me wel eens af van wie ik die rare, groene ogen heb en die brede mond. Of hoe het komt dat ik zo gevoelig ben. Mijn vader en moeder zijn allebei erg nuchter zoals je weet, het verschil valt op. Op dat soort momenten word ik opeens besprongen door de wetenschap dat er ergens op deze wereld twee mensen rondlopen uit wie ik voortkom. Mensen met wellicht dezelfde karaktereigenschappen en dezelfde uiterlijke kenmerken. Ik ben best nieuwsgierig."

„Je bent op zoek naar je roots," constateerde Heidi. „Hoe ga je dat aanpakken?"

Geërgerd gooide Romy het laatste stukje van het bierviltje op tafel. „Ik zeg toch dat ik nog geen concrete plannen heb!" viel ze uit.

12

„Dat zeg je, ja, maar ik ken je beter en langer dan vandaag," zei Heidi kalm. Ze was totaal niet onder de indruk van Romy's uitval. Ze waren al vriendinnen sinds de kleuterschool en konden wel wat van elkaar hebben. „Diep vanbinnen heb je het allang besloten, of niet soms?"

„Misschien." Romy zuchtte. „Ik weet het niet. Er zitten zoveel haken en ogen aan. Wie weet wat ik te horen krijg als ik ze eenmaal gevonden heb. Nu kan ik nog de illusie koesteren dat het lieve mensen zijn die simpelweg geen andere uitweg zagen dan mij afstaan, juist omdat ze van me hielden. Maar de realiteit is misschien wel heel anders. Het kunnen wel alcoholisten zijn of drugsverslaafden. Of stel je voor dat mijn moeder zwanger is geraakt als gevolg van een verkrachting? Dat soort dingen wil ik dus liever niet weten."

„Jij speelt liever voor struisvogel."

„Wat is daar mis mee? Het is moeilijk, Heidi. Niet weten waar je vandaan komt, of er ergens nog familie van je rondloopt. Misschien heb ik wel broertjes of zusjes waar ik niets van af weet."

„Denk je niet dat je echte ouders jou wel opgespoord zouden hebben als ze contact zouden willen?" vroeg Heidi voorzichtig.

„Je bedoelt dat ze misschien niets met me te maken willen hebben?" Romy zuchtte diep. „Ja, ook dat kan nog. Dat is het hem nu juist. Er zitten zo ontzettend veel 'misschiens' aan. Ik zou willen dat ik zekerheid had. Antwoorden op mijn vragen."

„In dat geval moet je inderdaad op zoek gaan. Je ouders zullen wel weten hoe je dat aan moet pakken. Ik neem tenminste aan dat ze nog wel de adressen hebben van de instanties die te maken hadden met jouw adoptie. En anders kan je altijd nog dat tv-programma inschakelen dat vermiste personen opspoort," draafde Heidi door. Ze zag het al helemaal zitten, de grote verzoening tussen haar vriendin en haar biologische ouders. Ze zouden elkaar waarschijnlijk met tranen in de ogen in de armen vallen.

„Je ziet spoken," merkte Romy echter nuchter op. „Er zijn

talloze scenario's te bedenken, maar zo'n zwijmelpartij verwacht ik heus niet. Trouwens, wat ik net al zei, ik ben er nog niet helemaal uit of ik daadwerkelijk op zoek ga. Ik ben best wel bang voor wat ik tegenkom als ik in het verleden ga zitten wroeten."

„Wat zeggen je ouders ervan?" wilde Heidi weten terwijl ze de barman wenkte om nog iets te drinken te bestellen.

Romy wachtte met antwoord geven tot de glazen op hun tafeltje waren gezet. „Die weten nog nergens van," zei ze toen. „Ik weet niet hoe ze ertegenover staan en ik wil ze geen verdriet doen."

„Ze kunnen je natuurlijk nooit tegenhouden. Trouwens, wat maakt het uit wat ze zeggen? Het zijn je echte ouders niet eens," merkte Heidi tactloos op.

Romy, die net een slok wilde nemen, zette haar glas met een klap terug op het tafelblad, zodat de inhoud over de rand klokte. „Zeg dat nooit, maar dan ook echt nooit meer," zei ze met een vreemde, lage stem. „Om deze opmerking zou ik je kunnen slaan, weet je dat?"

„Sorry, zo bedoelde ik het niet," reageerde Heidi geschrokken. „Ik wil hier alleen maar mee zeggen dat de beslissing van jou uit moet komen, niet van hen. Ook als ze het niet willen."

„Als ze het echt niet willen, hou ik daar rekening mee," zei Romy kortaf. In één teug leegde ze haar glas, daarna stond ze op. „Ik ga. Veel plezier vanavond."

Voor Heidi nog iets kon zeggen verdween Romy door de deur van het café naar buiten. Het was koud en de ijzige wind sneed haar de adem af. Snel liep Romy door de nog drukke straten, haar hoofd ver voorovergebogen om de koude wind te ontwijken. Haar hart klopte wild in haar borstkas en ze was nog steeds kwaad om Heidi's ondoordachte opmerking, al wist ze dat haar vriendin het niet kwaad bedoeld had. Heidi flapte er wel vaker lukraak iets uit, zonder na te denken over wat ze nou eigenlijk zei. Deze woorden waren hard aangekomen bij Romy. Ze had altijd geweten dat ze geadopteerd was, want daar

14

was nooit een geheim van gemaakt bij haar thuis.

„Je hebt in de buik van een andere mama gezeten, maar daarna ben je bij ons gekomen en wij houden heel veel van jou," zei haar moeder vroeger altijd. Romy had daar nooit vraagtekens bij gezet. De liefde van haar vader en moeder was een vaststaand feit, daar had ze nooit aan hoeven twijfelen. Ze was opgegroeid in een warm, liefdevol gezin. Ook nadat haar ouders waren gescheiden, sinds een paar jaar, was daar niets in veranderd. Romy ging met allebei haar ouders goed om en die spraken nooit slecht over elkaar. Ze waren erin geslaagd om de sfeer goed te houden ter wille van hun kind en Romy begreep pas sinds kort hoe moeilijk dat geweest moest zijn. Ze waren tenslotte niet voor niets uit elkaar gegaan, daar moest het nodige aan vooraf gegaan zijn. Toch had zij daar nooit hinder van ondervonden. Haar belang had altijd vooropgestaan, bij zowel haar vader als haar moeder.

Een warm gevoel ten opzichte van deze twee mensen doorstroomde haar. Op dat moment nam ze het besluit om niet op zoek te gaan naar haar biologische ouders. Misschien ooit nog eens, maar voorlopig in ieder geval niet. Haar adoptiefouders hadden dat niet aan haar verdiend. Trouwens, haar biologische ouders, hoe lief en goed ze misschien ook waren, konden nooit de plaats innemen van de mensen die haar hadden opgevoed en grootgebracht.

HOOFDSTUK 2

„Ik moet hoognodig wat nieuwe kleren hebben. Heb je zin om mee te gaan naar de stad?" Vragend keek Maaike den Hollander haar zus aan.

Franka aarzelde even. Maaike en zij konden niet zo goed overweg, dus een gezellig uitstapje zou het vast niet worden. Aan de andere kant was en bleef ze haar zus, haar enige nog in leven zijnde familielid nadat hun ouders kort na elkaar overleden waren. Ze wilde het contact met Maaike toch niet kwijt, al was ze heel erg moeilijk om mee om te gaan. Maaike was verbitterd en verzuurd sinds een auto-ongeluk tien jaar geleden haar leven overhoop gegooid had. Haar vriend Rob was daarbij op slag gedood en Maaike was tot overmaat van ramp haar ongeboren kind kwijtgeraakt door de klap. Sindsdien ging ze alleen door het leven, jaloers op iedereen die wel een partner en kinderen had. Vrienden en vriendinnen hadden het in de loop der tijd af laten weten omdat een normaal, gezellig contact niet meer mogelijk was. De dramatische gebeurtenissen die Maaike had meegemaakt, hadden haar veranderd in een venijnige, jaloerse roddeltante. Franka wist echter ook dat haar zus onder die kattige laag diep verdrietig en eenzaam was.

„Als je er zo lang over na moet denken, laat het dan maar," zei Maaike vinnig. „Ik ga wel alleen."

„Nee, natuurlijk ga ik mee. Ik moest alleen even denken of ik geen andere afspraken heb," loog Franka. „Daar kan ik aan merken dat ik ouder word, mijn hersenen gaan wat trager werken," voegde ze er lachend aan toe in een poging de stemming wat luchtiger te maken.

Maaike snoof minachtend. „Je bent pas zesendertig."

„Het was een grapje." Franka zuchtte onhoorbaar. Als dit de toon van de middag zou worden, had ze nu al spijt van haar toezegging. Eigenlijk zou ze liever haar vrije zaterdagmiddag met een boek op de bank door willen brengen, maar ze kon het toch niet over haar hart verkrijgen om Maaike af te wimpelen. Ze kon trouwens zelf ook wel wat nieuws gebruiken, dat ging dan mooi in één moeite door.

Omdat parkeren in het centrum een regelrechte en zeer kostbare ramp was, namen ze de bus. Direct tegenover de halte waar ze uitstapten was een van Franka's favoriete kledingwinkels gevestigd, dus leek het haar logisch om daar meteen naar binnen te stappen.

„O nee, hier koop ik niets, hoor," zei Maaike echter meteen. „Veel te duur."

„Dat valt wel mee. Ze hebben hier mooie spullen en van een prima kwaliteit," zei Franka.

„Dat mag ook wel met de prijzen die ze rekenen." Maaike trok misprijzend haar mondhoeken naar beneden terwijl ze een blik in de etalage wierp. „Dat heb ik er echt niet voor over."

„Dat truitje zou jou anders uitstekend staan." Franka wees naar een lichtblauw truitje van zachte wol en een apart ingebreid motief.

„Daar koop ik in een warenhuis drie truien voor."

„Dan krijg je het van mij. Kom mee." Voor Maaike verder kon protesteren trok Franka haar mee de winkel in. „Nee, niet tegenstribbelen, ik vind het leuk om iets voor je te kopen. Zo vaak gebeurt het tenslotte niet dat wij samen op stap zijn." Ze wees de toesnellende verkoopster wat ze wilde hebben en duwde haar verbouwereerde zus het pashokje in. Het truitje stond haar inderdaad fantastisch, moest zelfs Maaike even later toegeven. De aparte kleur blauw accentueerde haar ogen en maakte haar gezicht wat minder flets. Het model deed haar nog steeds mooie figuur prima uitkomen.

„Perfect," knikte Franka. Ze knikte naar de verkoopster ten teken dat ze het truitje wilde kopen en zocht daarna enkele kledingstukken voor zichzelf uit. Maaike hield even hoorbaar haar adem in bij het bedrag dat de verkoopster even later noemde en dat Franka zonder blikken of blozen betaalde.

„Je bent gek," viel ze eenmaal buiten op straat uit. „Voor dat geld heb ik een complete garderobe."

„Niet zeuren. Draag die trui nu maar vaak en geniet ervan.

Hij staat je prachtig en zo duur was hij nou ook weer niet," zei Franka vriendelijk.

„Naar jouw maatstaven waarschijnlijk niet. Freek heeft natuurlijk een riant inkomen, die heeft een eigen zaak, ik heb slechts een eenvoudige kantoorbaan en moet alles zelf betalen. Voor de prijs van dit truitje kan ik twee weken eten. Enfin, bedankt."

Dat laatste voegde ze er wat onwillig aan toe en Franka kon een glimlach niet onderdrukken.

Maaike had het inderdaad niet makkelijk, daar mocht ze best wel eens wat vaker bij stilstaan. Zij, Franka, liep dan wel eens te klagen dat het leven zo saai en voorspelbaar geworden was, maar Maaike zou ongetwijfeld dolgraag met haar willen ruilen. Ze had een kantoorbaan waar ze weinig plezier aan beleefde, maar waar ze bij gebrek aan initiatief in was blijven hangen en ze woonde in een eenvoudig driekamerappartement met een piepklein balkonnetje, omdat ze zich niets beters kon veroorloven. Het fatale ongeluk had haar leven totaal verwoest. Vroeger was Maaike een leuke, vrolijke vrouw geweest, nu was daar echter niets meer van over. Franka had haar wel eens verweten dat ze in haar verdriet bleef hangen en zichzelf zo levenslang tot slachtoffer maakte, nu dacht ze echter in een vlaag van eerlijkheid dat zijzelf makkelijk praten had. Wie weet hoe zij eraan toe was geweest als ze Freek niet had ontmoet. In tegenstelling tot nu hadden ze in het begin van hun relatie eindeloos gepraat over de verhouding die Franka met Eric had gehad en over de baby die ze had afgestaan. Mede daardoor had ze het zo goed verwerkt dat ze amper meer aan het verleden terugdacht. In die donkere periode was Freek de strohalm geweest waar ze zich stevig aan vast had geklampt. Hij zorgde voor haar en troostte haar als ze huilde om alles wat ze verloren had. Maaike daarentegen had alles in haar eentje moeten doorstaan, het was warempel geen wonder dat ze verbitterd was geraakt. Ze mocht best wel wat meer consideratie met haar zus tonen, dacht Franka berouwvol.

Ondanks die goede voornemens ergerde ze zich behoorlijk

aan Maaikes vele uitingen van kritiek en haar gedrag in de diverse winkels. Als ze met haar vriendin Laura ging winkelen verliep het altijd veel gezelliger, kon Franka niet nalaten te denken. Dan hadden ze overal plezier in, gedroegen ze zich als melige pubers en kwamen ze altijd thuis met tassen vol aankopen. Nu durfde Franka amper iets aan te schaffen omdat ze Maaike, met haar veel smallere beurs, niet voor het hoofd wilde stoten. Na vier winkels, waarbij Maaike slechts één broek had gekocht, snakte ze naar koffie. Ze trok Maaike dan ook resoluut mee in de richting van een klein restaurantje.

„Ik ga nooit ergens iets drinken," weerstreefde Maaike nog even.

„Ik wel. Dat hoort erbij, bovendien ga ik van mijn stokje als ik niet snel iets binnenkrijg," zei Franka beslist. Ze ging aan een leeg tafeltje zitten en overhandigde haar zus de menukaart. „Zoek wat lekkers uit voor erbij, een moorkop of zo. Ze hebben hier ook zalig appelgebak."

„Ik denk dat ik een uitsmijter of zo neem," overwoog Maaike hardop. „Dat scheelt me vanavond weer een maaltijd."

Franka zuchtte ingehouden. Moest Maaike nou echt alles van de praktische kant bekijken, kon ze nooit ergens spontaan van genieten? Het lukte haar echter om zich in te houden en geen hatelijke opmerking te maken. Zelf bestelde ze een groot stuk appeltaart met extra veel slagroom. Toen Maaike zich excuseerde om naar het toilet te gaan, leunde Franka even ontspannen achterover in haar stoel. Het was beslist geen onverdeeld genoegen om met haar zus op stap te gaan, daar moest ze echt geen gewoonte van maken. Ze liet haar ogen door de kleine ruimte dwalen. Mensen kijken was altijd al een geliefde bezigheid van haar geweest en ondanks het feit dat deze zaak niet ruim was, was het wel druk, zodat ze haar hart op kon halen. Rechts van haar zaten twee oudere mannen in een zo te zien druk gesprek verwikkeld, het tafeltje daarnaast werd bezet gehouden door een nog jonge, verveeld uitziende vrouw met een zwaar opgemaakt gezicht. Een huisvrouw met een riant gezinsinkomen en te weinig om handen, oordeelde Franka in stilte. De vrouw die een tafel verder met een jong meisje zat te praten, maakte een heel andere indruk op haar. Ze maakte levendige gebaren terwijl ze sprak en haar bruine ogen straalden. Hoewel het een tengere, kleine vrouw was, scheen ze te borrelen van levenslust. Het jonge meisje kon Franka alleen van achteren zien, maar toen ze zich omdraaide om de serveerster te roepen sloeg haar hart een slag over van schrik. Even leek het net of ze in het gezicht van Eric van Haaksbergen keek. Franka sloot haar ogen en zag Eric zo duidelijk voor zich alsof ze hem gisteren nog gezien had in plaats van twintig jaar geleden.

Wat was ze ontzettend verliefd op hem geweest... Het leeftijdsverschil van vijftien jaar was absoluut geen belemmering voor haar geweest. Integendeel, dat maakte alles alleen maar interessanter. Het feit dat een volwassen, knappe man aandacht aan haar besteedde en haar begeerde, had haar zelfvertrouwen enorm doen groeien. Van een stille, onzekere puber werd ze in die periode een jonge, zelfbewuste vrouw. Voor eventjes dan. Alles wat er daarna gebeurd was had die positieve verandering onmiddellijk weer teniet gedaan, dacht Franka bitter. Het was een stuk uit haar leven dat ze graag over had willen doen. De angst die ze had gevoeld bij de ontdekking dat ze zwanger was, was onbeschrijfelijk, maar viel in het niet bij de wanhoop die volgde op Erics reactie.

Woedend was hij geweest, herinnerde ze zich met pijn in haar hart. Met een wit vertrokken gezicht en ogen die flikkerden van kwaadheid had hij haar met onverholen minachting aangestaard.

„Doe er maar wat aan!" zei hij fel. „Als je maar niet denkt dat ik hiervoor op ga draaien."

„Maar het is net zo goed jouw kind!" riep Franka wanhopig uit.

„Ik zit hier niet op te wachten. Heb je dit expres gedaan? Is dit jouw manier om mij erin te luizen?" Hij had zijn ogen half dichtgeknepen toen hij haar aankeek. „Ik laat me niet voor dergelijke karretjes spannen, Franka, onthoud dat goed. Je laat het maar weghalen."

Ze was te overdonderd geweest om te kunnen huilen, wist ze nog. Een deel van haar hersens weigerde te geloven wat hij haar allemaal voor de voeten wierp. Het was een afgrijselijke nachtmerrie en ze bleef hopen dat ze wakker zou worden en zou blijken dat dit allemaal niet echt gebeurde.

„We kunnen toch trouwen en samen het kindje krijgen," verweerde ze zich zwak.

Het honende gelach dat hij op dit voorstel liet horen, klonk nog regelmatig in haar oren.

„Trouwen? Met jou? Laat je nakijken. Je bent nog een kind, Franka, een puber. Denk nou eens na. Ik ben trouwens al getrouwd en vader van drie kinderen. Zo'n bastaardje zou mijn hele leven verpesten."

Dat was het exacte moment geweest waarop haar verliefdheid omsloeg in haat. Sindsdien had ze Eric nooit meer gezien. De baby was wel geboren, maar direct daarna afgestaan voor adoptie en Franka had een muur om dat deel van haar hart heen gebouwd. Voor de buitenwereld leek ze een normale, vlotte, jonge vrouw, maar niemand was op de hoogte van de littekens op haar ziel. De mensen die wisten wat er gebeurd was hadden bewondering voor de manier waarop ze het leven weer oppakte. Franka had een dikke streep onder het verleden getrokken en weigerde er verder aan terug te denken of om het haar toekomst te laten bepalen. Dat was haar goed gelukt, al kon ze niet verhinderen dat de herinneringen af en toe ineens de kop weer opstaken, zonder dat ze het tegen kon houden. Zoals nu. De aanblik van het jonge meisje had een luikje in haar hart geopend waar talloze herinneringen uit kwamen stromen.

Ze knipperde een paar keer met haar ogen om de wazige beelden om haar heen weer duidelijk te krijgen. De vrouw en het meisje waren opgestaan en trokken nu hun jassen aan, die over de stoelleuningen hadden gehangen. Daarbij keek Franka haar recht in het gezicht. Erics gezicht, onmiskenbaar. Ze had dezelfde, mysterieuze, groene ogen en brede lach die Franka nooit écht had kunnen vergeten. Huiverend keek ze de twee vrouwen na. Zou het echt mogelijk zijn dat dit een kind van Eric was? Of...?

De volgende gedachte die in haar opkwam trof haar recht in het hart. Wat leeftijd betrof zou het kunnen. Het meisje was een jaar of twintig, net als.... Franka huiverde, ondanks de warmte in het restaurant.

Het leek wel of ze uren zo gezeten had, maar toen Maaike weer plaatsnam aan het tafeltje besefte ze dat er pas enkele minuten verstreken waren. Ze was de aanwezigheid van haar zus helemaal vergeten en staarde haar wazig aan.

„Wat is er met jou aan de hand? Het lijkt wel of je een spook hebt gezien," zei Maaike.

„Wie weet," reageerde Franka langzaam. Ze was te beduusd om het af te doen als iets onbelangrijks. „Het zou heel goed kunnen dat ik Romy net gezien heb."

„Romy?" Maaike fronste haar wenkbrauwen. „Wie is Romy?"

„Romy," herhaalde Franka dociel. „Je weet wel... De baby." Ze durfde de woorden 'mijn kindje' niet in de mond te nemen, het was zo al moeilijk genoeg. „Er was hier net een meisje van een jaar of twintig. Ze lijkt sprekend op Eric."

„O, die Romy," ging Maaike een lichtje op. „Je lang vergeten jeugdzonde. Hoe kom je daar zo opeens bij? Dat is al zo lang geleden." Ze slaagde erin het te laten klinken alsof het een bagatel betrof en Franka keek haar dan ook pijnlijk getroffen aan.

„Het was Erics gezicht. Dezelfde groene ogen, die brede mond, zijn lach. Ineens kwam alles weer terug."

„Fran, er lopen ongetwijfeld duizenden jonge vrouwen rond met groene ogen en een brede mond, haal je niets in je hoofd," zei Maaike scherp. „En zelfs als zij het inderdaad was, wat dan nog? Ga me nou niet vertellen dat je er nog over treurt."

„Ik denk er vrijwel nooit aan terug, maar soms slaat het ineens toe," zei Franka naar waarheid. „Dat gevoel moet jij toch ook kennen."

Maaikes mond vertrok in een bittere streep. „Ga jouw

situatie nou niet vergelijken met de mijne."
„We zijn allebei een kind kwijtgeraakt."
„Maar niet bepaald op dezelfde manier. Ik ben mijn kind verloren, jij hebt het jouwe weggegeven. Dat is een keus die je zelf gemaakt hebt, ik had niets te willen."
Franka keek haar zus onthutst aan. „Dat klinkt alsof je het me kwalijk neemt."
„Je kunt niet verwachten dat ik medelijden met je heb. Het is oneerlijk verdeeld in het leven. Ik wilde niets liever dan een kind, maar het mocht niet zo zijn. Bij anderen…" Ze stokte, vermande zichzelf toen meteen weer. „Enfin, het is niet anders, maar ik ben niet van plan om hier sentimenteel met jou te gaan zitten doen omdat je je allemaal hersenspinsels in je hoofd haalt. Hou er alsjeblieft over op."
Op dat moment bracht de serveerster hun bestelling, die ze zwijgend verorberden. Alle lust tot verder winkelen was Franka vergaan. Ze was licht misselijk en haar hoofd voelde vreemd licht aan. Er was geen enkel bewijs dat het meisje van daarnet haar eigen kind was, toch kon ze dat gevoel niet van zich afzetten en dat maakte haar kwaad. Het sloeg nergens op. Het was trouwens niets voor haar om zo emotioneel te reageren. Ze weigerde dan ook om aan haar gevoelens toe te geven en volgde Maaike even later gewoon weer winkel in, winkel uit. Ze kon echter niet voorkomen dat ze constant gespannen om zich heen keek, bang en tegelijkertijd hopend hetzelfde meisje weer te zien. Bij een tweede ontmoeting kon ze misschien om haar eigen gedachten lachen omdat dan zou blijken dat ze zich maar iets in haar hoofd had gehaald. Misschien leek dat kind wel helemaal niet op Eric en had ze zich dat alleen maar verbeeld omdat ze toevallig groene ogen had. Zoals duizenden mensen, wat Maaike al terecht had opgemerkt. Trouwens, wie garandeerde haar dat die kleur echt was en het meisje geen gekleurde lenzen in had? Met deze en andere gedachten probeerde Franka alles voor zichzelf te relativeren, maar daar slaagde ze maar gedeeltelijk in. Bij alles wat ze de rest van de dag deed bleef het meisje op de achtergrond van haar gedachten,

als een lastige vlieg die steeds bleef terugkomen, ook al sloeg je hem iedere keer weg.

Tegen Freek zei ze er die avond niets over. Erover praten was hetzelfde als toegeven aan haar gevoelens en dat wilde ze niet. Uit alle macht probeerde Franka het nu geopende luik in haar hart weer dicht te krijgen. Het verleden, dat ze zover achter zich had gelaten, leek haar echter met alle geweld in sneltreinvaart in te willen halen en ze kon de stroom herinneringen niet stoppen. Bijna lijfelijk voelde ze de pijn van de bevalling weer. Een pijn waar je normaal gesproken iets moois voor terugkreeg, maar die in haar geval volkomen zinloos was. Een pijn die niet naar de achtergrond werd gedrongen vanwege de vreugde van de geboorte. Eén kort moment, toen haar kindje begon te huilen, was er een fel geluksgevoel in haar hart geweest, maar onmiddellijk daarop was de wetenschap gevolgd dat ze het kindje niet kon houden. Misschien had ze op dat moment nog terug kunnen komen op haar beslissing, dat was echter niet in haar opgekomen. Alles was al geregeld, voor haar gevoel kon ze het niet maken om dat zomaar opeens terug te draaien. Verstandelijk gezien was afstaan ook de beste beslissing die ze kon nemen. Ten eerste was ze te jong geweest om de verantwoordelijkheid voor een kind te kunnen dragen, ten tweede wilde ze niet voortdurend aan Eric herinnerd worden door middel van zijn kind. De baby weggeven aan ouders die er wel blij mee waren en die er wel goed voor zouden zorgen was absoluut het verstandigste wat ze kon doen. Ze had er ook vrede mee gehad.

Ze had er nog steeds vrede mee, hield Franka zichzelf streng voor. Dat was heus niet opeens over nu ze een kind had gezien dat misschien een beetje op Eric leek, ze moest niet zo stom doen. Het was natuurlijk absurd om na twintig jaar opeens gevoelens van spijt te krijgen en te verlangen naar iets wat onmogelijk was.

HOOFDSTUK 3

„Heb je al een beslissing genomen?"
Hoewel het inmiddels al een week geleden was dat ze erover hadden gesproken, wist Romy meteen wat Heidi bedoelde. Met haar rug naar haar collega toe schonk ze voor hen beiden koffie in terwijl Heidi de gekochte broodjes voor hun lunch op bordjes legde. Omdat hun bedrijfsleider zijn werk weer had hervat, konden ze voor het eerst sinds een paar weken weer samen van hun lunchpauze genieten en nu ze even de tijd hadden om te praten nam Heidi meteen de gelegenheid waar om op hun vorige gesprek terug te komen.
„Ik heb besloten om het niet te doen," zei Romy.
„Wat?" Heidi's mond viel open. Dat was wel het laatste wat ze verwacht had. Romy was nooit erg wispelturig geweest en als ze iets wilde, ging ze er altijd volledig voor. Halfslachtig gedrag was niets voor haar. „Waarom niet? Je wilde je echte achtergrond toch leren kennen?"
„Ik durf het niet aan," antwoordde Romy eerlijk.
„Maar je hebt zoveel vragen."
„Misschien ben ik wel bang voor de antwoorden." Romy zuchtte diep. „Niets weten is wellicht beter dan de waarheid weten. Het lijkt me niet bepaald prettig om te moeten horen dat mijn eigen moeder me simpelweg niet wilde hebben."
„Je weet niet of dat de reden was dat ze je af heeft gestaan."
„Daarom juist, ik weet het niet, dus kan ik tenminste mijn illusies blijven koesteren. De waarheid kan keihard zijn."
„Ik geloof je niet zo erg," zei Heidi langzaam terwijl ze Romy vorsend aankeek. „Een dergelijke reactie is niets voor jou, jij bent nooit bang geweest voor confrontaties. Zelfs niet voor moeilijke. Er moet nog een reden zijn waardoor je het niet aandurft."
Romy zweeg, voor Heidi het beste bewijs dat ze gelijk had.
„Ben je soms bang voor de reactie van je ouders?" vroeg ze, daarmee recht in de roos schietend.
Romy schokte met haar schouders. „Ik wil ze absoluut niet naar het tweede plan duwen," gaf ze toe. „Ik heb een heerlij-

ke jeugd gehad met lieve ouders die van me houden en die er altijd voor me waren. Die er nog steeds voor me zijn, ook al zijn ze zelf gescheiden en ben ik volwassen. Ze mogen niet het idee krijgen dat ik mijn biologische ouders belangrijker vind en dat ik ze wil leren kennen omdat ik iets mis of iets tekort ben gekomen."

„Jouw ouders zijn nuchtere, realistische mensen," wees Heidi haar terecht. „Waarschijnlijk zullen ze het heel normaal vinden dat je op zoek wilt gaan naar je wortels."

„Of niet. Ik kan me levendig voorstellen dat het voor hen heel moeilijk moet zijn."

„Je kunt toch moeilijk je hele leven lang bij iedere beslissing die je neemt, rekening blijven houden met de gevoelens van je ouders," zei Heidi nuchter.

„Vast niet, maar ik hoef ze ook niet nodeloos te kwetsen."

„Ze hebben er bewust voor gekozen om een kind te adopteren, dus ook voor een eventuele confrontatie met de biologische ouders. De meeste geadopteerde kinderen gaan vroeg of laat op zoek."

„Ik dus niet. Hou erover op, Heidi," zei Romy kortaf.

Heidi pakte een pen en noteerde iets op een papiertje. „Hier," zei ze, het stukje papier over de tafel heen naar Romy toeschuivend. „Misschien heb je hier iets aan, ook al wil je zelf niet actief op zoek."

„Wat is dit?"

„Een website speciaal voor iedereen die op wat voor manier dan ook met adoptie te maken heeft," vertelde Heidi. „Ze hebben een spoorzoekerforum, waar je een oproepje kunt plaatsen. Je zou er allicht eens op kunnen kijken, misschien zijn jouw echte ouders ook wel naar jou op zoek."

Romy stak het papiertje zonder commentaar in haar tas, maar de rest van de middag bleven haar gedachten om Heidi's woorden heen cirkelen. Daar had ze eigenlijk nooit bij stilgestaan, dat iemand háár zou zoeken. Ze was er altijd van uitgegaan dat zij de eerste stap moest zetten om in contact te kunnen komen met haar biologische ouders. De gedachte dat het ook andersom kon, stemde haar vreemd opgewonden. Het zou heel goed kunnen dat ze haar eigen naam op die website tegen zou komen.

Die avond zat ze achter haar computer, besluiteloos met het bewuste papiertje spelend. Zou ze wel, zou ze niet? En wat moest ze doen als bleek dat haar echte vader of moeder haar inderdaad zocht, als haar naam straks op het scherm verscheen? Dan was de verleiding om te reageren natuurlijk wel heel erg groot, ondanks haar bedenkingen ten opzichte van de twee mensen die haar opgevoed hadden. Maar dat was anders, in dat geval kwam het initiatief niet van haarzelf, dacht ze toen. Ze hoefde haar ouders dan geen verdriet te doen door te melden dat ze zelf op zoek ging. Voor geen prijs wilde ze hen het gevoel geven dat ze iets tekortkwam in haar leven. Stel dat ze inderdaad gezocht werd, dan kon ze dat nonchalant aan haar moeder vertellen en eerst even afwachten wat haar reactie was voor ze reageerde.

Dat gezichtspunt gaf haar de moed om haar computer op te starten en het bewuste adres in te tikken. Er stonden vijfenveertig oproepjes van mensen die op zoek waren naar iemand, zag ze. Koortsachtig vlogen haar ogen over de regels op het scherm, maar teleurgesteld moest ze constateren dat haar naam er niet tussen stond. Als een leeggelopen ballon liet ze zich tegen de rugleuning van haar bureaustoel zakken. Ze had zo gespannen zitten kijken dat ze er gewoon spierpijn in haar nek en schouders van had. Nogmaals nam ze alle oproepjes door, een stuk rustiger nu. Misschien had ze in haar haast wel iets over het hoofd gezien. De tweede keer was het resultaat echter hetzelfde. Niemand was op zoek naar een Romy van Roodenburg van twintig jaar. Ze wist dat haar voornaam uitgekozen was door haar biologische moeder en dat haar adoptiefouders die naam hadden overgenomen omdat hij zo mooi bij hun achternaam paste. Maar haar nieuwe achternaam wisten ze niet, schoot haar te binnen. En ze wisten waarschijnlijk ook niet dat haar adoptiefouders ervoor gekozen hadden om de naam Romy aan te houden, dus was het niet waarschijnlijk dat ze haar naam zouden noemen in een eventuele oproep. Opnieuw keek ze de oproepen door, nu gericht op zoek naar diegenen, waarin alleen melding werd gemaakt van geboortedata en plaatsen, maar er zat er niet eentje bij die zelfs maar in de buurt kwam van haar eigen gegevens. Uiteindelijk kon ze niet anders doen dan toegeven dat ze er niet tussen stond.

Woest schoof ze haar bureaustoel achteruit en rusteloos beende ze door haar kleine kamer heen en weer. Zie je wel, haar eigen ouders wilden helemaal geen contact met haar, dacht ze onredelijk. Het kwam waarschijnlijk geen seconde in hun hoofd op dat ze nog ergens een dochter rond hadden lopen die wel eens nieuwsgierig kon zijn naar haar achtergrond. Ze hadden haar weggegeven als een ongewenst pakketje en vervolgens nooit meer aan haar gedacht.

Ze wist niet hoe ver ze van de waarheid af was met die gedachten, al zou ze een maand geleden de spijker ermee op zijn kop geslagen hebben. Sinds die bewuste middag in de stad kon Franka echter haar dochter niet meer uit haar hoofd zetten. De herinneringen aan het verleden bleven haar bestormen, al wist ze zelf niet wat ze ermee aan moest. Ze droomde 's nachts van kleine, hartverscheurend huilende baby's die bij haar weg werden gehaald terwijl zij met haar armen uitgestrekt achterbleef. Dromen die totaal niets hadden te maken met de manier waarop het werkelijk was gegaan. Ze was helemaal niet verdrietig, wanhopig of eenzaam geweest na de bevalling. Ze had wel een gevoel van leegte ervaren, maar er was ook opluchting geweest omdat het allemaal achter de rug was en ze haar leven weer op kon pakken. Ze wist dat ze de juiste beslissing had genomen en dat haar kindje terecht zou komen bij een stel ouders die er bewust voor hadden gekozen en die ongetwijfeld goed voor haar zouden zijn. Beter dan zij met haar zestien jaar zou kunnen. Wat had zij een kind nou te bieden? Ze had dan ook geen idee waar deze dromen vandaan kwamen, ze wist alleen wel dat ze haar volledig uitputten. Ze lag vaak urenlang wakker, bang voor nieuwe nachtmerries en gevoelens waar ze geen raad mee wist.

Freek had geen flauw benul van alles wat haar bezighield.

Terwijl zij in het donker voor zich uit lag te staren, lag hij nietsvermoedend naast haar te slapen. De kringen onder haar ogen en haar veranderende gedrag vielen hem wel op, maar Franka weerde zijn vragen af door te beweren dat ze een griepje onder de leden had en hij vroeg niet verder. De tijd dat ze hun gevoelens met elkaar bespraken lag ver achter hen.

Haar vriendin Laura liet zich niet afschepen door deze simpele verklaring.

„Er is meer met je aan de hand," zei ze rustig. Het was zaterdagmiddag, Freek was aan het werk en Laura had onaangekondigd aan de deur gestaan omdat ze het hoog tijd vond om weer eens bij te praten, zoals vaker op zaterdag gebeurde. Ze was geschrokken van Franka's bleke gezicht en de donkere wallen onder haar ogen. Haar donkerblonde haren, die normaal gesproken glansden, lagen nu dof om het smalle gezicht heen. Haar slanke postuur was op dat moment bijna mager te noemen, constateerde Laura.

„Doe niet alsof jij de dokter bent," bromde Franka.

„Je hoeft geen dokter te zijn om te zien dat het niet goed met je gaat," pareerde Laura die opmerking. „Volgens mij ben jij hard toe aan een weekendje beautyfarm. Hè ja." Ze veerde overeind uit haar makkelijke houding op de bank. „Laten we dat weer eens doen. Wat denk je van volgende week? Het zal je goed doen, dan heb je tenminste wat afleiding van dat gepieker."

„Wie zegt dat ik pieker?"

„Lieve schat, heb jij de laatste dagen wel eens in de spiegel gekeken? Jouw gezicht verraadt slaapgebrek en de voornaamste reden waarom mensen niet slapen is omdat ze liggen te piekeren. Waar heb je last van? Spoken uit het verleden?" Haar stem klonk zo warm en oprecht belangstellend dat Franka niet anders kon doen dan knikken.

„Ik weet niet hoe het komt, maar de laatste dagen kan ik nergens anders meer aan denken. Of eigenlijk weet ik wel waardoor het komt. Vorige week was ik met Maaike in de stad en toen zag ik een meisje dat sprekend op Eric lijkt. Dezelfde gezichtsvorm, dezelfde groene ogen. Het was of ik rechtstreeks het verleden inkeek. Sindsdien droom ik over baby's die bij me weggehaald worden."

„Dat werd dan wel eens tijd," zei Laura nuchter. „Ja schat, je kunt niet ongestraft een zwangerschap uitdragen en het kindje weggeven zonder dat je daar op zijn minst verdriet van hebt. Dat verdriet heb je lang uit weten te stellen, maar nu slaat het dan toch een keer toe. Geef er maar aan toe, dat lijkt me het beste. Met net doen of er niets aan de hand is, red je het ook niet. Dat blijkt nu wel weer."

„Maar dit is toch belachelijk?" Met wanhoop in haar ogen keek Franka haar vriendin aan. „Het is twintig jaar geleden. Twintig jaar! In al die jaren heb ik amper een gedachte aan Romy gespendeerd, al klinkt dat misschien hard. Als ik al aan haar dacht was dat met de geruststellende zekerheid dat ik het goede gedaan had. Geen seconde heb ik meer getwijfeld nadat ik eenmaal die beslissing had genomen. Ik had het verwerkt, afgesloten. En moet je me nu zien. Zonder een noemenswaardige aanleiding verander ik in een wrak. Slapen doe ik bijna helemaal niet meer, ik ben voortdurend moe en misselijk en ik barst van de hoofdpijn. En waarom? Omdat ik een meisje heb gezien dat op Eric leek, nogal een reden om zo van overstuur te raken."

„Denk je dat het Romy was?" vroeg Laura, daarmee haar vinger op de zere plek leggend.

Franka bleef lange tijd stil voor ze antwoord gaf. „Die gedachte vloog wel door me heen, maar ik realiseer me heus wel dat dat onzinnig is."

„Hoezo? Waarom zou het niet kunnen? Ze bestaat, ze loopt ergens op deze wereld rond," zei Laura simpel. „Misschien heb je haar zelfs al talloze malen gezien zonder te weten dat zij het is."

„Of ze het nu wel of niet was, dat verandert verder niets aan de feiten," meende Franka.

„Je kunt haar natuurlijk opsporen als je dat wilt."

Heel even verscheen er een hoopvolle blik in Franka's ogen, toen schudde ze haar hoofd. „Ach nee, wat heeft dat voor nut? Waarschijnlijk gooi ik dan haar hele leven overhoop. Ze zal echt niet verlangen naar een ontmoeting met een moeder die haar weg heeft gegeven."

„Dat even buiten beschouwing gelaten, wat zou je er zelf van vinden? Zou je haar willen zien, contact met haar willen hebben?"

Franka haalde diep adem. Ze kon zelf amper geloven wat ze nu ging zeggen. „Twee weken geleden zou ik daar volmondig 'nee' op geantwoord hebben, nu ben ik daar niet zo zeker van. Zomaar ineens beheerst ze al mijn gedachten."

„Dat is niet spontaan opgekomen, dat is een proces van jaren geweest," zei Laura. Ze pakte de fles wijn die naast haar op de grond stond en schonk zichzelf nog een keer in. Franka's glas was nog vol, zag ze. „Wil jij geen wijn?"

„Nee, ik ben misselijk." Franka keek met een vies gezicht naar haar glas. „Ik denk dat ik een kop thee ga maken, daar heb ik echt trek in. Gek, ik drink dat spul eigenlijk nooit."

Ze verdween de keuken in en Laura keek haar bedenkelijk na.

„Weet je zeker dat je niet zwanger bent?" vroeg ze even later ronduit.

Franka liet van schrik bijna de hete beker thee uit haar handen vallen.

„Hoe kom je daar nou in vredesnaam bij?"

„Je slaapt niet, je bent misselijk, je hebt hoofdpijn," somde Laura op. „Ja, kijk maar niet zo verbaasd naar me. Ook al heb ik zelf geen kinderen, ik weet heel goed wat de typische zwangerschapsverschijnselen zijn. Ik heb zelf dan wel nooit de behoefte gehad om me voort te planten, maar ik ben niet achterlijk."

Onwillekeurig schoot Franka even in de lach. „Wat ben jij toch een heel ander type dan Maaike," zei ze spontaan. „Jullie zijn allebei alleenstaand en allebei kinderloos, maar jullie staan zo enorm verschillend in het leven."

„Dat is niet met elkaar te vergelijken. Mijn levensstijl is een bewuste keuze, van Maaike niet." Laura's gezicht werd ernstig. Zij had vroeger met Maaike in de klas gezeten en was

31

bevriend met haar geweest, maar ook zij wist niet meer tot haar door te dringen. Maaike had stelselmatig alle mensen van zich afgestoten in de loop der tijd. „Ik wilde dat ik haar kon helpen, maar ze laat niets en niemand toe."

„Natuurlijk, de omstandigheden vormen een mens, maar het verschil is wel erg opvallend. Ook in uiterlijk. Jullie zijn allebei achtendertig, maar terwijl jij eind twintig lijkt, ziet Maaike er eerder uit als iemand die in de richting van de vijftig gaat."

„Het verdriet heeft zijn sporen nagelaten bij haar. Vergis je trouwens niet in mijn looks, dat is een vertekend beeld. Lang leve de make-up en de haarverf," grijnsde Laura terwijl ze door haar lange, donkere haren woelde. „Je afleidingsmanoeuvre werkt overigens niet, liefje. We hadden het over jouw zwangerschapskwaaltjes."

„Dat zijn dezelfde verschijnselen als van een griep. Doe niet zo raar. Freek en ik zijn al zestien jaar getrouwd, waarvan we al zeker twaalf jaar geen voorbehoedsmiddelen meer gebruiken. Het is wel duidelijk dat we op dat gebied iets mankeren, anders had ik allang een hok vol kinderen gehad," zei Franka afwerend.

„Is er ooit bewezen dat één van jullie onvruchtbaar is?" informeerde Laura op droge toon. „Nee, zie je wel? Het zou dus heel goed kunnen." Ze stond op.

„Wat ga je doen?"

„Een zwangerschapstest kopen," was het resolute antwoord.

„Je bent gek. Laura, doe normaal, ik ben echt niet zwanger."

„Dan kan het dus ook geen kwaad om zo'n test te doen. Ik ben zo terug."

Het kwartier dat ze weg was, weigerde Franka te denken aan de mogelijkheid dat Laura gelijk zou hebben. Het was onzin, ze voelde zich alleen maar zo beroerd omdat ze slecht sliep, hield ze zichzelf voor. Het werd hoog tijd dat ze weer eens normaal ging doen en stopte met al die muizenissen. Die test was zonde van Laura's geld.

Ondanks die manmoedige gedachten wachtte ze even later met een zwaar bonkend hart en trillende handen van de zenuwen op het moment dàt ze op het staafje konden kijken wat de uitslag was.

„De drie minuten zijn om," zei Laura na een tijd die voor Franka een eeuwigheid had geduurd. „Wil je zelf kijken?"

Stug schudde Franka haar hoofd. „Doe jij het maar," zei ze bijna onhoorbaar. Ze durfde zelfs niet te ademen toen Laura het witte staafje van de tafel pakte.

„Gefeliciteerd," klonk toen de stem van haar vriendin. „Je bent inderdaad zwanger."

Als verdoofd hoorde Franka haar aan. Zwanger, zwanger, echode het in haar hoofd. De omstandigheden waren niet te vergelijken met de eerst keer toen dit haar overkwam, toch had ze dezelfde, angstige gevoelens als toen. Even was het of ze terugging in de tijd. Die keer had ze geen thuistest gedaan, maar was ze naar de huisarts gegaan, herinnerde ze zich. De gedachte aan een zwangerschap was ook toen geen seconde bij haar opgekomen, haar moeder had haar naar de dokter gestuurd omdat ze vermoedde dat ze bloedarmoede had. Na zijn diagnose had ze hem met open mond aangestaard, niet bij machte om iets te zeggen. Datzelfde gevoel overviel haar nu weer. Ze opende haar mond, maar sloot hem weer omdat er geen geluid uit kwam. De confrontatie met het verleden kwam keihard aan.

„Kun je er een beetje blij om zijn?" vroeg Laura bezorgd.

Franka schudde haar hoofd, daarna knikte ze. „Ik weet het niet," bracht ze met moeite uit. „Dit is zo volslagen onverwachts. Hoe kan ik nu blij zijn met een zwangerschap terwijl…" Haar stem stierf weg.

„Terwijl er ergens een kind van je rondloopt die je niet eens kent," vulde Laura haar aan. Ze begreep feilloos wat haar vriendin dwarszat. „Probeer het los van elkaar te zien, Fran. De ene zwangerschap heeft niets met de andere te maken."

„Zo voelt het niet," zei Franka zacht. „Het is net of ik Romy verraad door opnieuw een kindje te krijgen. Een kindje dat wel bij me mag blijven." Ze rilde ongecontroleerd. „Hoe moet ik deze baby ooit uitleggen dat ze nog een zusje heeft, maar dat mama dat zusje niet wilde hebben?"

„Loop je nu niet een beetje erg ver op de zaken vooruit?" zei Laura, nuchter als altijd. „Leer dat arme schaap eerst maar eens 'mama' zeggen voor je haar met dit soort problemen opzadelt. Het heeft trouwens geen nut om je nu al af te gaan vragen hoe dat in de toekomst moet. Wen eerst eens rustig aan het idee. Wedden dat je over pakweg acht maanden een dolgelukkige moeder bent?"

„Ik kan het me niet voorstellen," zuchtte Franka. „Moeder ben ik al twintig jaar, maar dolgelukkig? Ik ben helemaal niet geschikt voor het moederschap. Welke moeder geeft haar eigen kind weg?"

„Toen was je zestien, nu ben je zesendertig en bovendien getrouwd," zei Laura geduldig. „De omstandigheden zijn niet met elkaar te vergelijken, dus het heeft totaal geen zin om jezelf verwijten te maken. Je zei net zelf dat je ervan overtuigd was dat je het beste voor Romy hebt gedaan wat je kon doen."

„Met mijn verstand wel, ja. Mijn gevoel spreekt me nu ineens heel hard tegen. Ik heb er nooit bij stilgestaan dat mijn beslissing ook consequenties heeft voor eventuele volgende kinderen."

„Dat is ook nooit aan de orde geweest. Je hebt toen gedaan wat het beste was en dat doe je nu weer. Dát kenmerkt juist een goede moeder," zei Laura stellig. „Door Romy weg te geven aan mensen die goed voor haar konden zorgen, heb je bewezen dat je een uitstekende moeder bent. Je hebt niet aan jezelf gedacht, maar aan haar belang."

Laura bleef lief en geduldig op Franka inpraten, maar die liet zich niet overtuigen. Zomaar vanuit het niets ervoer ze een gevoel dat ze nog niet eerder had gehad, namelijk spijt. Terwijl Laura erop bleef hameren dat ze niets verkeerd had gedaan, had Franka maar één allesoverheersende gedachte. Ze wilde Romy zien, met haar praten en haar in haar armen houden.

Ze wilde haar kind terug.

HOOFDSTUK 4

„Thee?" Petra Versluis hief uitnodigend de theepot omhoog naar haar dochter. Romy aarzelde even. Gezellig samen thee drinken met haar moeder betekende meestal ook het uitwisselen van confidenties en dat had ze nu liever niet. Ze wilde niet vertellen wat haar bezighield, want ze was bang haar moeder daarmee te kwetsen. Ze was echter bang dat Petra allang had gemerkt dat haar iets dwarszat. Ook al was er geen bloedband tussen hen, moeder en dochter hadden een hechte relatie en kenden elkaar door en door. Ze kon zo snel geen aannemelijke smoes verzinnen en knikte dus toch van 'ja'. Wat ze vreesde, kwam echter al heel snel ter tafel.

„Er is iets met je aan de hand, je bent zo stil de laatste tijd," zei Petra rechtuit nadat ze eerst wat over koetjes en kalfjes hadden gebabbeld. „Kun je me niet vertellen waar je over piekert?"

„Ik heb het gewoon druk," ontweek Romy een eerlijk antwoord. „Bovendien kan ik toch niet altijd alleen maar lachen, zingen en vrolijk zijn? Er zijn nu eenmaal altijd periodes waarin een mens zich wat minder voelt."

Petra streek even door haar donkere haren. Haar bijna vijftig jaren waren haar niet aan te zien, maar ze verzorgde zichzelf dan ook uitstekend. De grijze haren werden aan het oog onttrokken door een regelmatige verfbeurt en ze verzuimde nooit om haar gezicht op te maken. Ook haar figuur was nog meisjesachtig te noemen, niet het minst door het vele sporten dat ze deed. Het smalle gezicht was nog steeds glad, al verscheen er nu een diepe frons tussen haar wenkbrauwen.

„Ik waardeer je pogingen om me te ontzien, maar ik zou het toch prettiger vinden als je de waarheid vertelde. Ik ben nog geen oud, seniel vrouwtje dat de realiteit niet meer aankan," zei ze droog.

Met een ruk keek Romy op. „Wat bedoel je?" vroeg ze verward.

„Ik praat toch niet ineens Russisch? Sinds wanneer kun jij me niet meer vertellen wat je bezighoudt?"

Romy brandde haar mond aan de hete thee, omdat het nemen van een slok haar de beste manier leek om even na te denken voor ze hier iets op terugzei. Ze had kunnen weten dat ze haar moeder geen zand in de ogen kon strooien. Ze kende haar té goed. Sinds de scheiding van haar ouders waren zij en haar moeder veel op elkaar aangewezen en dat had een extra hechte band gesmeed. Misschien dat ze haar moeder toch wel in vertrouwen kon nemen wat betreft haar gevoelens, overwoog Romy. Ze was inderdaad niet het type dat onmiddellijk in zou storten, aan de andere kant moest het haar toch pijn doen om te weten dat haar dochter, voor wie ze alles over had gehad, op zoek wilde gaan naar de vrouw die haar als baby weggedaan had.

„Heidi heeft me gebeld," zei Petra echter al voor Romy de knoop had doorgehakt. „Liefje, je had me dit best zelf kunnen vertellen. We hebben altijd openlijk kunnen praten over het feit dat je geadopteerd bent, dat is nooit een geheim geweest. Het opzoeken van je biologische ouders hoort daar ook bij, het is een logisch vervolg."

„Vind je het dan niet erg?" vroeg Romy onzeker.

„Natuurlijk niet," antwoordde Petra niet helemaal naar waarheid. Ze had geweten dat deze dag ooit zou komen en het als vanzelfsprekend aanvaard, toch stak een klein, jaloers duiveltje even de kop op. Diep in haar hart hoopte ze dat Romy's biologische moeder niets van haar dochter zou willen weten en ieder contact af zou wijzen. Op hetzelfde moment wist ze echter dat ze dit niet meende. Niet écht, tenminste. Ze wilde het beste voor Romy, ongeacht wat dat voor haarzelf zou betekenen. Ze kon alleen maar hopen dat haar biologische moeder daar ook zo over dacht en ernaar handelde. Als Romy maar een enorme teleurstelling bespaard bleef.

„Je weet natuurlijk alleen niet wat je te wachten staat," probeerde ze Romy alvast voor te bereiden. „Het kan enorm tegenvallen."

Romy knikte. „Ook dat hield me tegen," zei ze eenvoudig. „Ik vraag me regelmatig af of het niet beter is om het verleden gewoon te laten rusten. Ik ben op zoek naar antwoorden op mijn vele vragen, maar besef tegelijkertijd dat die antwoorden me misschien helemaal niet gelukkiger maken. Maar mam, heb jij er echt geen problemen mee? Als jij het niet wilt, doe ik het niet."

„Je moet doen wat je eigen hart je ingeeft," zei Petra met een glimlach. „Dit zijn zaken die een ander nooit voor je kan beslissen en ik wil je er ook zeker niet in beïnvloeden. Niet op een positieve en niet op een negatieve manier. Het moet jouw besluit zijn."

„Zo hebben jullie me ook opgevoed. Zelf nadenken, zelf beslissen en vervolgens zelf de consequenties dragen." Romy zuchtte. „Maar wat zijn de consequenties? Normaal gesproken kun je dat van tevoren wel een beetje inschatten als je je gezonde verstand gebruikt, in dit geval is het echter onzeker. Niemand kan voorspellen hoe het uit gaat pakken. Zal ik mijn echte moeder aardig vinden of niet? Staat ze open voor contact of niet? Had ze een goede reden om me af te staan of handelde ze uit gemakzucht?"

„Je moet zeker weten dat je eventuele teleurstellende antwoorden aankunt," adviseerde Petra. Ze had even een felle steek door haar hart gevoeld toen Romy het had over haar 'echte moeder', maar besloot dat te negeren. Ze moest nu niet kinderachtig gaan doen, maar nuchter blijven, hield ze zichzelf voor. Als ze op iedere slak zout ging leggen zou ze het emotioneel niet aankunnen om Romy hierin te begeleiden.

„Daar ben ik dus niet van overtuigd," zei Romy eerlijk. „Ik wil gewoon horen dat mijn moeder zielsveel van me hield, maar me af heeft gestaan omdat dat voor mij het beste was. Als dat niet zo is, weet ik niet hoe ik zal reageren. Misschien maakt het mijn leven nodeloos gecompliceerd door de confrontatie aan te gaan."

„Denk er dan nog eens over na. Volgens mij heb je het niet voor je uit geschoven omdat je het niet aan mij durfde te vertellen, maar heb je dat alleen als excuus gebruikt. Je hebt de beslissing uitgesteld uit angst en onzekerheid."

Romy keek haar moeder met een klein lachje aan. „Je had psycholoog moeten worden. Ik denk dat je gelijk hebt, al was ik me daar niet van bewust. Dit is echt moeilijk, vooral omdat ik van tevoren nooit kan weten of ik de juiste beslissing neem. Daar kom ik natuurlijk pas achteraf achter."

„Je moet natuurlijk wel oppassen dat je je niet te veel laat beïnvloeden door je angst hierin," waarschuwde Petra. „De verkeerde beslissing nemen is altijd nog beter dan helemaal geen beslissing nemen. Als jij besluit dat je niets van je verleden wilt weten is dat prima, maar daar moet je dan ook echt achter staan. Probeer te voorkomen dat je later spijt krijgt omdat je nu niet door durft te zetten."

Romy knikte langzaam met haar hoofd. „Ik begrijp wat je bedoelt. Oké, voorlopig laat ik het even bezinken voor ik stappen ga ondernemen. Bedankt, mam." Ze stond op en sloeg spontaan haar armen om Petra's hals. „Ik hou van je. Denk alsjeblieft nooit dat ik op zoek wil naar mijn wortels omdat ik iets tekortgekomen ben bij jullie. Hoe aardig mijn echte moeder misschien ook is, ze kan jouw plaats nooit innemen. Jij blijft altijd mijn eerste moeder."

„Daar was ik al van overtuigd. Beter dan bij mij krijg je het bij niemand," zei Petra verwaand. Ze glimlachte erbij, een glimlach die haar tranen moest verbergen. Omdat ze niet aan Romy wilde laten merken hoe ze eraan toe was verdween ze de keuken in met de opmerking dat ze nodig aan het avondeten moest beginnen. Eenmaal in de keuken leunde ze echter werkeloos tegen het aanrecht. Haar hoofd bonsde en ze had het gevoel of ze ieder moment uit kon barsten in een wilde huilbui.

Op het moment dat ze Romy als kleine baby in haar armen kreeg, had ze geweten dat dit ooit zou gebeuren, maar ze had van tevoren nooit in kunnen schatten hoe moeilijk het zou zijn. Romy was háár kind, dat mens dat haar weg had gegeven had niets meer met haar te maken, dacht ze opstandig. Ze verdiende het niet dat haar dochter haar nu op wilde zoeken en contact met haar wilde. Zij, Petra, was degene die 's nachts haar bed uit was gegaan om Romy een fles te geven, zij had uren naast het bedje gezeten als Romy ziek was, zij had ouderavonden bezocht, zij had talloze keren in weer en wind langs de lijn van het handbalveld gestaan, zij had nachtenlang piekerend doorgebracht toen Romy in haar pubertijd verkering kreeg met een jongen aan wie niets goeds te ontdekken viel en zij had ervoor gezorgd dat Romy opgegroeid was tot een standvastige, sociale, jonge vrouw. Wie weet wat er van het kind terecht was gekomen als ze bij haar biologische moeder was gebleven. Vast niet veel goeds, tenslotte had ze haar niet voor niets afgestaan. Wat de reden ook mocht zijn, in ieder geval was die moeder niet in staat geweest zelf voor haar kind te zorgen. Dat had zij gedaan. En wat was haar dank? Dat datzelfde kind nu plotseling contact wilde met de vrouw die haar gebaard had.

Petra wist diep in haar hart dat ze onredelijk was, maar haar emoties zochten een uitweg. Jarenlang was ze de onbekende moeder van Romy dankbaar geweest dat ze het kind aan haar had gegeven, nu had ze geen goed woord voor de vrouw over.

Impulsief pakte ze de telefoon en toetste het nummer in van Arjan. Haar ex-man, de vader van Romy. Ook al was hij niet haar verwekker, hij was altijd een echte vader voor haar geweest. Hij was de enige die haar op dit moment zou begrijpen, wist ze. Hun scheiding had niets afgedaan aan de band die hij met zijn dochter had. Zij had ook nooit lopen stoken tussen vader en dochter. Hun problemen stonden los van Romy en ze vonden allebei dat zij niet de dupe mocht worden van het feit dat de liefde tussen hen over was. Ter wille van Romy hadden ze ook na de scheiding intensief contact onderhouden en daar was een diepe vriendschap uit ontstaan. Van liefde was geen sprake meer, maar ze waren kameraden door dik en dun geworden. Twee mensen die weliswaar niet meer door een huwelijk aan elkaar verbonden waren, maar die elkaar nooit helemaal los zouden laten.

„Met mij," zei Petra moeizaam toen Arjan zich aan de andere kant van de lijn meldde. „Romy is… Ze heeft…"

„Wat is er met Romy?" viel Arjan haar ongerust in de rede.

„Is er iets gebeurd? Heeft ze een ongeluk gehad?"
„Nee, nee. Ik… Ik heb net een heel gesprek met haar gehad. Ze wil op zoek gaan naar haar biologische ouders."
Er viel een korte stilte tussen hen. Arjan haalde opgelucht diep adem, blij dat er niets ernstigers aan de hand was. Hij besefte echter ook direct hoe moeilijk dit voor Petra moest zijn. Ze hadden van het begin af aan geweten dat deze dag zou komen en Petra was daar ook altijd heel rationeel in geweest, maar nu het daadwerkelijk zover was, was de klap toch harder aangekomen dan ze verwacht had. Hij was daar al bang voor geweest. Hoe nuchter Petra ook in het leven stond, haar dochter was haar zwakke plek.
„Je hoeft niet bang te zijn om haar kwijt te raken," zei hij, daarmee de vinger op de zere plek leggend. „Romy houdt van ons. Wij zijn haar ouders. Misschien dat daar ooit liefde bij komt voor de mensen die haar op de wereld hebben gezet, maar dat zal nooit in de plaats komen van de gevoelens die ze voor ons heeft. Het staat er los van."
Petra zuchtte diep. Ze was blij dat Arjan meteen begreep waar ze mee zat en niet met dooddoeners op de proppen kwam. „Ben jij niet bang?" vroeg ze.
„Ik kan niet zeggen dat ik het een prettig idee vind," gaf hij toe. „We kunnen haar hier echter niet in belemmeren. Ik vrees dat dat trouwens alleen maar averechts zou werken."
„We doen dus gewoon vrolijk met haar mee en gedragen ons alsof dit heel normaal is."
„Petra, het is normaal," wees Arjan haar vriendelijk terecht. Er klonk een klein lachje door in zijn stem. „Ieder mens wil weten waar hij of zij van afstamt, daar is niets vreemds aan."
„Ach ja, je hebt gelijk. Sorry, ik stel me aan. Het viel me alleen nogal rauw op mijn dak. Ik sta er nooit bij stil dat Romy geadopteerd is en niet uit mijn lichaam is geboren. Het stak me dat zij daar dus wel steeds aan denkt," zei Petra eerlijk.
„Zo moet je het niet zien. Romy is volwassen aan het worden, daar hoort een eigen identiteit bij. Misschien weet ze na één ontmoeting met haar moeder wel genoeg en heeft ze

helemaal geen behoefte aan verder contact met haar."

„Of ze kunnen het heel goed met elkaar vinden, zijn allebei blij dat ze elkaar gevonden hebben en worden vriendinnen voor het leven."

„Ook dat kan," beaamde Arjan met tegenzin. „Maar dan nog kun je daar niets aan veranderen. Jou kennende zal je in dat geval de moeder van Romy hartelijk en gastvrij welkom heten in je huis, ter wille van Romy. En juist omdat je zo bent, zal Romy je nooit naar de tweede plaats duwen. Je hebt al twintig jaar het belang van Romy voor ogen en dat weet ze heel goed. Jij bent haar echte moeder, ook al heeft ze dan niet jouw genen in haar lijf."

„Dank je." De tranen sprongen in Petra's ogen bij deze bemoedigende woorden. Dat had ze net even nodig. Ook al kon ze heel goed haar eigen boontjes doppen en stond ze emotioneel meestal sterk in haar schoenen, het was toch prettig om van een ander af en toe bevestiging te krijgen.

Terwijl Petra worstelde met haar gevoelens, zat ook Franka, een paar kilometer verder, te piekeren wat ze moest doen. Het duurde nog een paar uur voor Freek thuis zou komen van de zaak, uren die ze doelloos doorbracht na het vertrek van Laura. Haar gevoelsleven stond volledig op zijn kop. De ontdekking van haar zwangerschap was één ding, maar de plotselinge drang naar haar oudste kind nam haar nog veel meer in beslag. Op dat moment vroeg ze zich in ernst af hoe ze haar ooit af had kunnen staan. Zou Romy zelf ooit begrip op kunnen brengen voor die beslissing? Stel dat ze haar op zou sporen en ze een goed contact op konden bouwen, hoe moest het dan voor Romy zijn om te weten dat haar moeder opnieuw een kind zou krijgen? Een kind dat wél bij haar mocht blijven? Zou ze het haar kwalijk nemen? Zou het haar niet interesseren? Zou ze boos worden, verdrietig zijn of begrip tonen?

De vragen bleven maar rondcirkelen in Franka's hoofd. Met haar benen onder zich gevouwen zat ze op de bank met het witte staafje van de zwangerschapstest te spelen en ze zat nog net zo toen Freek later binnenkwam. Automatisch gaf hij haar een kus, een gewoontebaar waar hij niet eens bij stil stond.

„Is er soms iets?" vroeg hij omdat ze dociel voor zich uit bleef staren en niet reageerde. Op dat moment viel zijn oog op de test in haar hand en van schrik hield hij zijn adem in. Als kinderloze man was hij niet direct vertrouwd met het voorwerp, maar instinctief begreep hij wat er aan de hand was. Franka knikte op zijn vragende blik en zijn niet uitgesproken woorden.

„Ja, ik ben zwanger."

„Hoe kan dat nou?" Zonder te kijken liet hij zich op de bank zakken. Zijn ogen puilden haast uit hun kassen en hij had het gevoel of hij een harde klap op zijn hoofd had gekregen. Dit was zo onverwachts en zo onwerkelijk. Na zestien jaar huwelijk was een zwangerschap wel het allerlaatste wat in zijn hoofd opgekomen was. Die hoop had hij allang opgegeven. „Weet je het zeker?"

„Zo'n test liegt niet." Franka legde het staafje op de salontafel, waar het hun sarcastisch lachend aan leek te kijken.

„Maar na al die jaren…" Freek schudde zijn hoofd. „Hoe voel je je?"

„Moe, misselijk, hoofdpijn," somde Franka op. „Het was Laura die deze klachten in verband bracht met een mogelijke zwangerschap. Ik verklaarde haar voor gek. Hoe vind je het?"

„Geen idee." Hij pakte de test op en bekeek die. „Ik had me dit moment altijd heel anders voorgesteld. Jarenlang heb ik verlangd naar deze mededeling en in mijn fantasie vielen we dan juichend in elkaars armen, dolblij met het vooruitzicht om ouders te worden. Inmiddels heb ik me volledig verzoend met het feit dat het voor ons niet was weggelegd." Hij legde de test terug op tafel, stond op en liep heen en weer door de kamer. Even later ging hij weer zitten, pakte opnieuw de test op en keek of er iets veranderd was. Er waren echter nog steeds twee blauwe streepjes zichtbaar en nu leek het pas echt tot hem door te dringen. „We krijgen dus een kind." Plotseling begon hij hard te lachen. „We krijgen een kind! Op het moment dat we zo'n beetje de leeftijd hebben bereikt om oma en opa te worden gaan we een kinderkamer inrichten en brengen we bezoekjes aan een verloskundige. Wat leuk!"

„Echt waar?" Onzeker keek Franka hem aan.

„Eigenlijk vind ik het fantastisch," zei hij met een brede grijns. „Ik word vader, wie had dat ooit kunnen denken?" Behoedzaam legde hij een hand op haar buik. „Daarbinnen groeit mijn kind." Zijn stem klonk vol verwondering. Dit niet meer verwachte nieuws bracht ongekende gevoelens in hem boven. Dwars daardoorheen kwam even de gedachte in hem op dat hij nu voor altijd in dit huwelijk vast zou zitten. Zijn vage plannen om zijn leven radicaal om te gooien en opnieuw te beginnen kon hij nu wel vergeten. Hij kon Franka onmogelijk in de steek laten onder deze omstandigheden. Integendeel, ze zouden voor de rest van hun leven met elkaar verbonden blijven. Er was nu geen weg meer terug. Maar hij werd vader, die wetenschap verdrong iedere negatieve gedachte. Eindelijk! Een baby zou overigens een hele nieuwe impuls aan hun huwelijk geven. Samen zouden ze de zorg en verantwoordelijkheid voor het kindje krijgen, dat alleen gaf al een band. Met zijn drieën moest het lukken om gelukkig te worden, al was het dan misschien op een andere manier dan in zijn fantasie. De meeslepende, hartstochtelijke liefde waar hij over droomde moest hij vergeten. Dit was de realiteit. Een goede realiteit, hield hij zichzelf voor.

„Er is nog iets," zei Franka toen. Ze hield haar gezicht afgewend, wilde hem niet aankijken als ze hem van haar plannen vertelde. Ze zou het niet kunnen verdragen als zijn gezicht afwijzing verraadde. „Ik wil Romy opsporen."

„Romy? Je dochter?" herhaalde Freek niet-begrijpend. Hij viel wel van de ene verrassing in de andere. „Waarom? Heeft dat te maken met deze zwangerschap?"

„Vast wel. Mijn hormonen gaan met me op de loop, denk ik." Franka glimlachte door haar tranen heen. „Twintig jaar heb ik amper aan haar gedacht, nu krijg ik haar niet meer uit mijn hoofd gezet. Ik wil haar zien, met haar praten, uitleggen waarom ik haar niet zelf kon houden."

„Denk je echt dat dit een goed idee is?" vroeg Freek zich hardop af. „Het gaat niet alleen om wat jij wilt, je moet ook denken aan de gevolgen voor je dochter. Wellicht vindt ze het wel best zo en wil ze de confrontatie met jou helemaal niet aangaan. Je bent een vreemde voor haar."

„Ik ben haar moeder."

„Jij bent slechts de vrouw die haar heeft gebaard. Haar moeder is de vrouw die al twintig jaar voor haar zorgt," verbeterde Freek haar. „Jij hebt indertijd die keus gemaakt, zelf had Romy er niets over te vertellen. Het lijkt mij niet meer dan eerlijk dat een eventuele hereniging van haar uit moet gaan."

Franka schudde haar hoofd,ze was vastbesloten. „Zo werkt dat niet. Ik ga in ieder geval naar het FIOM, de instantie die alles wat met adoptie te maken heeft regelt. Misschien is Romy óok wel naar mij op zoek. Zo ja, dan weten ze dat daar en kunnen ze ons met elkaar in contact brengen."

„Ik zou er eerst nog even rustig over nadenken," adviseerde Freek haar. „Zet alles op een rijtje en vraag jezelf af om welke redenen je dit wilt doen. Je bent erg emotioneel nu."

„Ik ben niet seniel," reageerde Franka kwaad.

„Dat zeg ik ook niet. Ik vraag je om er eerst goed over na te denken. Persoonlijk vind ik het nogal egoïstisch van je om jezelf op te dringen aan een kind dat je bewust niet zelf wilde houden. Wie zegt dat Romy daarop zit te wachten?"

Bokkig draaide Franka haar hoofd af. Hij begreep er duidelijk niets van. Wat wist hij van haar gevoelens van de laatste weken, van de storm die in haar op was gestoken sinds ze dat meisje in de stad had gezien? Het drong niet tot haar door dat hij dat niet kon weten omdat zij er niets over verteld had.

Freek voelde zich behoorlijk door elkaar geschud. Eerst de mededeling dat Franka zwanger was, direct daarop gevolgd door haar voornemen om de verloren dochter op te zoeken. Het was geen wonder dat het hem wat te veel werd en hij niet direct stond te juichen bij haar plannen.

Als twee vreemden zaten ze naast elkaar op de bank, op een avond die tot de gelukkigste uit hun leven had moeten behoren.

HOOFDSTUK 5

„Wacht een dag voor je een definitieve beslissing neemt. Een dag later zie je de dingen vaak anders, het geeft je de kans de zaken op een rijtje te zetten." Die woorden van haar opa, zijn levensmotto, dreunden door Franka's hoofd. Eigenlijk min of meer automatisch hield ze zich aan deze stelregel, hoewel haar besluit al vaststond. Haar opa had echter altijd zo'n impact op haar leven gehad dat het onvoorstelbaar was om dit advies niet op te volgen. Haar hele leven had ze veel tijd met hem doorgebracht. Als kind noodgedwongen omdat opa de vaste oppas voor Maaike en haar was als hun ouders werkten en later vrijwillig. Waar Maaike afhaakte omdat die geen zin had om haar tijd te verspillen aan een oude man, zoals ze zelf zei, bleef Franka hem trouw opzoeken. Al haar kleine en grote zorgen besprak ze met hem en zijn levens-motto werd uiteindelijk ook het hare, omdat ze een paar keer ondervond hoe wijs dit standpunt was.

Zo was ze ooit meteen kwaad weggelopen bij het bedrijf waar ze werkte, omdat haar ontslag toegezegd was. Ze had altijd spijt gehad van dat overhaaste en impulsieve besluit, want het had verregaande gevolgen gehad bij het aanvragen van een uitkering en bij latere sollicitaties. Op dat moment was ze zich echt gaan realiseren dat het standpunt van haar opa nog zo slecht niet was. Ook later had het haar geholpen, bij de ontdekking dat ze zwanger was van Romy, bij haar afwegingen om de baby wel of niet af te staan ter adoptie en bij haar eerste impuls om de vrouw van Eric in te lichten over zijn escapades. Nu ze het plan had opgevat om haar dochter op te sporen nam ze ook die vierentwintig uur extra bedenktijd in acht. Dat was in de loop der jaren zo'n gewoonte geworden dat ze er niet eens meer bewust bij nadacht.

Het veranderde echter niets aan haar besluit. De drang om haar dochter te zien was zo groot dat niets haar ervan kon weerhouden, zelfs niet Freeks argument dat Romy dit mis-schien helemaal niet wilde. Als Romy inderdaad geen contact met haar wilde zou ze zich daarbij neer moeten leggen, maar dan had ze het in ieder geval geprobeerd. Het verlangen in haar hart was te groot om te negeren. Twintig jaar had ze dat bewust heel diep weggestopt, maar nu het eenmaal een uitweg had gevonden was het niet meer weg te duwen. Peinzend staarde Franka naar een oude, vergeelde foto van zichzelf. De enige foto waar ze op te zien was met een zwanger lijf. Haar buik puilde enorm uit onder de lichtblauwe trui die ze droeg. Haar ogen staarden wazig in de verte en haar haren hingen slap langs haar gezicht. Ze leek eerder ver in de twintig dan pas zestien. Ze wist nog goed wanneer deze foto gemaakt was, namelijk op het vijfentwintigjarige huwelijksfeest van haar ouders. Het zaaltje dat ze hadden gehuurd was druk bevolkt met familieleden, vrienden, kennissen en collega's en zij had daar verdwaasd tussen gelopen met haar dikke buik. De andere mensen die op de foto zichtbaar waren hadden duidelijk plezier in de avond, zij niet. Zij had haar hele zwangerschap lang nergens plezier in gehad. Haar eerste impuls om deze foto, toen ze hem indertijd onder ogen kreeg, te verscheuren, had ze bedwongen. In plaats daarvan had ze hem veilig weggeborgen en nooit meer weggedaan. Deze foto was haar schakel met Romy, het enige tastbare bewijs dat ze inderdaad ooit zwanger was geweest en een kind had gekregen. Nu was ze weer zwanger en hoewel de omstandigheden totaal verschillend waren, had ze grotendeels hetzelfde lege, angstige gevoel als ze de eerste keer had ervaren. Toen verlangde ze ernaar dat Eric naast haar zou staan en zijn verantwoordelijkheid zou nemen, nu verlangde ze ernaar om haar oudste dochter in haar armen te sluiten.

Het zien van die oude foto gaf de absolute doorslag voor Franka. Ze startte haar computer op en begon met het schrijven van een lange brief aan de benodigde instanties, met daarin al haar gegevens betreffende haar zwangerschap en kopieën van alle officiële papieren uit die tijd. Ze wist dat het wettelijk bepaald was dat alle adoptiedossiers bewaard moesten blijven, dus bij het FIOM konden ze zo opzoeken wie haar dochter was en waar ze woonde. Ze eindigde haar brief met het verzoek haar gegevens door te geven aan Romy, zodat zijzelf kon bepalen of ze contact met haar op wilde nemen of niet. Zonder de brief daarna nog over te lezen, printte ze hem uit en stopte hem in een envelop. Een kwartier later liet ze de envelop door de gleuf van de brievenbus glijden.

Zo, dat was gebeurd. Ze haalde diep adem en leunde even tegen de brievenbus aan om een opkomende duizeling te bezweren. De eerste stap was gezet, nu kon ze alleen nog afwachten.

„Er is post voor je." Direct bij haar thuiskomst overhandigde Petra de brief aan Romy.

Die bekeek de envelop van alle kanten. „Het FIOM? Dat is toch…?"

„De instantie die alles regelt en bijhoudt wat met adoptie te maken heeft," knikte Petra. „Ik wist niet dat je al contact met hen opgenomen had."

„Dat heb ik niet," zei Romy langzaam. Ze voelde aan de brief alsof ze er zo achter kon komen wat erin stond. Plotseling was ze bang om hem te lezen. „Heb jij…?" Vragend keek ze naar haar moeder.

„Natuurlijk niet, dat zou ik nooit doen. Ik heb je vorige keer al gezegd dat het jouw beslissing moet zijn en van niemand anders."

Weer draaide Romy de envelop in haar handen om en om. „Maar als wij geen contact gezocht hebben, dan… Dan zou dit dus een bericht van mijn moeder kunnen zijn."

„Maak hem open en lees de brief, dan weet je het zeker," adviseerde Petra laconiek.

Met aarzelende vingers deed Romy wat ze zei. Ze dwong zichzelf de brief langzaam en aandachtig te lezen, zodat de strekking meteen goed tot haar doordrong. Wat ze gehoopt had en wat ze tegelijkertijd vreesde, kwam uit. Dit was inderdaad een bericht dat haar biologische moeder haar wilde ontmoeten en een verzoek van haar kant om contact op te nemen. Als ze dat niet wilde, werden haar gegevens niet openbaar gemaakt aan haar biologische moeder, las ze. Het dossier betreffende dit verzoek zou tien jaar bewaard blijven voor het geval ze later nog van gedachten mocht veranderen. Ze kon contact opnemen met het FIOM om de adresgegevens van haar moeder op te vragen.

„Mijn moeder zoekt me," zei Romy tegen Petra. Ze wist zelf niet dat haar ogen glansden van hoop en verwachting, iets wat Petra met een steek in haar hart constateerde.

„Dat is mooi," zei ze vlak. „Tenslotte is dit wat je wilde, toch? Fijn voor je dat zij de eerste stap heeft gezet, nu hoef je in ieder geval niet bang te zijn voor een afwijzing als je zelf een verzoek indient."

Romy maakte haar ogen los van de brief, die ze telkens opnieuw las en richtte ze op haar moeder. „Dat klinkt niet echt alsof je er blij mee bent."

Petra trok even met haar schouders. „Het komt toch als een schok," bekende ze eerlijk. Ze had besloten haar ware gevoelens niet voor Romy verborgen te houden, al zou ze haar niet laten merken hoe zwaar dit haar werkelijk viel. „Het is zo dubbel," zei ze, zoekend naar de juiste woorden. „Ik begrijp volkomen dat je je ware achtergrond wilt leren kennen en nieuwsgierig bent naar de vrouw die je op de wereld heeft gezet, maar voor mij ligt dat anders. Ik ben je moeder, ik sta er nooit bij stil dat er ergens op deze wereld nog een vrouw rondloopt die dezelfde titel heeft. Voor mijn gevoel ben je honderd procent mijn dochter, het feit dat je geadopteerd bent speelt daar niet in mee."

„Maar ik zie die vrouw niet als mijn moeder," zei Romy meteen. „Ik ben ook absoluut niet van plan om haar zo aan te spreken, ik noem haar nu alleen zo omdat ik haar naam niet weet en ze technisch gesproken natuurlijk mijn moeder is."

„Ik ben ook niet bang om mijn plek in jouw hart en jouw leven kwijt te raken," haastte Petra zich haar te verzekeren. „Het is alleen even wennen. Ik word nu geconfronteerd met het feit dat jij geadopteerd bent, terwijl dat voor mijn gevoel niet zo is, daar gaat het om. Dat is vreemd. Voor jou ben ik in ieder geval blij dat je biologische moeder zelf de eerste stap heeft gezet, dat is een bewijs dat ze aan je denkt en om je geeft. Je kunt hieruit concluderen dat ze je niet zomaar heeft weggegeven en dat moet een fijn gevoel voor jou zijn. Je moet natuurlijk afwachten hoe het verder loopt en of jullie het met elkaar kunnen vinden, maar als jullie contact zich verder uitstrekt dan slechts een eenmalige ontmoeting, staat mijn huis voor haar open."

„Je bent een schat!" riep Romy spontaan uit terwijl ze haar moeder een zoen gaf. „Dus je vindt het echt niet erg?"

„Ik ben alleen maar blij voor jou dat het op deze manier gaat," antwoordde Petra.

Dat meende ze in ieder geval oprecht. Voor Romy was het een geruststelling dat haar biologische moeder haar graag wilde zien, het bespaarde haar de angst voor een afwijzend antwoord. Verstandelijk gezien vond Petra het ook een heel normale gang van zaken, maar gevoelsmatig had ze er meer moeite mee. Ze had niet gelogen toen ze tegen Romy zei dat haar huis openstond voor haar biologische moeder, maar tevens hoopte ze dat het niet nodig zou zijn, dat ze die vrouw niet hartelijk hoefde te ontvangen. Ze wist echter ook dat ze haar toch vriendelijk tegemoet zou treden. Dankzij die vrouw had ze het grootste geluk in haar leven mogen ervaren, ze kon niet anders dan haar dankbaar zijn.

Terwijl Petra trachtte haar gevoelens te analyseren las Romy op haar eigen kamer nogmaals de brief door. Natuurlijk zou ze hierop reageren, daar was geen twijfel meer over mogelijk. De laatste barrière was nu ook weggevallen. Het was jammer dat het kantoor van het FIOM nu gesloten was en ze tot morgen moest wachten. Het liefst had ze haar biologische moeder nu onmiddellijk gebeld.

Ze stopte de brief in haar handtas, zodat ze hem de dag daarna niet kon vergeten mee te nemen. Klokslag negen uur de volgende ochtend excuseerde ze zich tegenover Heidi en verdween ze in het kleine kantoortje achter de winkel om te bellen. Even later zat ze met het adres en het telefoonnummer van haar moeder in haar handen. Trillend gleden haar handen over het stukje papier. Zou ze nu meteen…? Aarzelend keek ze naar de telefoon. Ze strekte haar hand uit naar de hoorn, trok die toen toch weer terug. Misschien was het wel beter om die avond naar het opgegeven adres te gaan, overwoog ze. Een rechtstreekse confrontatie forceren zonder dat haar moeder daarop voorbereid was. Of kon ze toch beter even opbellen en een afspraak maken? Verdorie, wat was dit moeilijk! Ze steunde met haar hoofd in haar handen en zuchtte diep. Nu ze zo dichtbij een echte ontmoeting was, schrok ze toch weer terug.

Plotseling resoluut pakte ze de hoorn van het telefoontoestel en weigerend nog langer na te denken, toetste ze snel het bewuste nummer in. De telefoon aan de andere kant ging eindeloos lang over, tot ze de moed opgaf. Niemand thuis. Ze had het kunnen weten natuurlijk, de meeste mensen zaten nu gewoon op hun werk. Net zoals zij trouwens. Met een schok realiseerde Romy zich dat ze al ruim een halfuur in het kantoortje zat terwijl Heidi er alleen voor stond in de winkel. De bedrijfsleider had zijn vrije dag, dus ze waren op elkaar aangewezen. Ze moest dit nu gewoon even van zich afzetten en aan het werk gaan. Ze kon het tegenover Heidi niet maken om haar overal alleen voor op te laten draaien.

„Sorry," verontschuldigde ze zich tegen haar vriendin voor haar lange wegblijven.

„Het zal wel nodig geweest zijn," reageerde Heidi nuchter.

Verder praten konden ze niet, omdat de winkel vol stond met klanten en zo bleef het de hele dag. De drukte leidde Romy in ieder geval af van alles wat haar gedachten zo in beslag nam. Pas die avond kwam ze ertoe om nogmaals het telefoonnummer van haar moeder te draaien. Petra was naar de sportschool, wat ze trouw twee keer per week deed, dus ze had het rijk alleen.

Deze keer werd er wel opgenomen. „Met mevrouw Kokshoorn," klonk het opgewekt in haar oor. Romy hield even haar adem in. Was dit echt de stem van haar moeder?

Het was een vreemde sensatie. „Hallo," hoorde ze nu ongeduldig. Snel schraapte ze haar keel.

„Dag mevrouw Kokshoorn, u spreekt met Romy van
Roodenburg," zei ze moeizaam. „Ik…"

Verder kwam ze niet.

„Romy, ben jij dat echt?" onderbrak Franka haar opgewonden. „Dé Romy? Mijn Romy?"

„Ik denk het wel, ja," zei Romy met een klein lachje. Deze
spontane reactie nam een stuk spanning weg. Heel haar keu-
rig geformuleerde zinnetjes bleken ineens niet nodig te zijn.
Aan de stem van deze vrouw te horen was ze oprecht blij
met haar telefoontje.

„Wat ben ik blij dat je belt," zei Franka als bevestiging van
die gedachte. „Ik had uiteraard gehoopt dat je zou reageren,
maar ik durfde niet te verwachten dat het al zo snel zou zijn.
Ben je niet erg geschrokken van mijn verzoek?"

„Ik liep zelf al langere tijd rond met vage plannen om u op te
sporen," bekende Romy.

„En nu hebben we elkaar dus gevonden." Franka's stem
klonk emotioneel, hoorde Romy. Zelf kreeg ze ook ineens
een brok in haar keel. Ze was aan het praten met de vrouw
in wier lichaam ze gegroeid was, wat bizar. „Ik zou je heel
erg graag willen zien," vervolgde Franka.

„Ik u ook. Ik heb zoveel vragen."

„Ik zal overal antwoord op geven," beloofde Franka.
„Wanneer ontmoeten we elkaar? Snel, hoop ik."

„Wat mij betreft vanavond al," lachte Romy.

„Waarom niet?" ging Franka daar tot haar verrassing serieus
op in. „We zijn thuis en hebben niets te doen vanavond."

„We?" polste Romy voorzichtig.

„Freek en ik. Freek is mijn man."

„En Freek? Is hij…? Ik bedoel…"

„Freek is niet je vader," begreep Franka haar meteen. „Maar
hij weet uiteraard wel van je bestaan af. We zijn sinds zestien
jaar met elkaar getrouwd."

„Toen ik al lang en breed geboren was dus," constateerde
Romy.

„Vier jaar later, ja. Kun jij hierheen komen? Heb je mijn adres? Ik weet niet waar jij woont en of het haalbaar is voor jou?" vroeg Franka gespannen. Nu het eerste contact eenmaal gelegd was kon ze niet wachten om haar dochter te zien. Ze was ontzettend nieuwsgierig naar hoe ze eruitzag en tot wat voor vrouw ze opgegroeid was.

„Ik kom er nu meteen aan," beloofde Romy impulsief. „We wonen niet eens zover van elkaar vandaan, een halfuurtje rijden denk ik. Ik kan de auto van mijn moeder wel nemen. Ze is niet thuis, maar dat vindt ze vast wel goed. Ik leg wel een briefje neer." Ineens begon ze te lachen. „Wie weet hoe vaak we elkaar al tegen zijn gekomen zonder van elkaar te weten wie we zijn."

Onwillekeurig gleden Franka's gedachten bij die woorden weer terug naar die middag in het centrum van de stad waar ze met Maaike was wezen winkelen. De aanblik van het jonge meisje dat zoveel op Eric leek had ze niet uit haar hoofd kunnen zetten.

Diep in gedachten verbrak ze de verbinding. „Ik neem de auto van mijn moeder wel," had Romy gezegd. Het was vreemd om dat te horen. Zij was haar moeder. Ze was in haar lichaam gegroeid, zij had haar met veel pijn op de wereld gezet. Waarschijnlijk verdiende ze de benaming moeder niet omdat ze nooit zelf voor Romy had gezorgd, maar ze had er eigenlijk nooit bij stilgestaan dat een andere vrouw die titel wel verdiende. Maar natuurlijk was Romy niet in haar eentje volwassen geworden. Er hadden twee mensen aan haar wiegje gestaan die haar, hopelijk, liefdevol hadden verzorgd en opgevoed. Twee mensen die alle taken op zich hadden genomen die zij, Franka, niet aan had gedurfd en gekund. Natuurlijk noemde ze die twee voor haar wildvreemde mensen mama en papa. Wat gek dat ze daar nooit bewust aan gedacht had. Als ze contact met Romy wilde blijven houden zou ze ook met hen te maken krijgen, besefte Franka nu pas.

„Wat sta je daar somber voor je uit te kijken?" haalde Freek haar uit haar gedachten. Hij had net een douche genomen en kwam met een handdoek om zijn middel de kamer in, waar

Franka nog steeds wezenloos naast de telefoon stond. „Somber? Zo zou ik het niet willen noemen." Haar gezicht lichtte op toen ze hem aankeek. „Romy belde op. Ze wil me graag ontmoeten en komt dadelijk hierheen. Vind je het niet fantastisch? Ga je snel aankleden, het zou een vreemde eerste indruk wekken als ze je zo aantreft."

Freek fronste zijn wenkbrauwen. „Romy? Bedoel je je dochter Romy? Hoe kan dat nou?"

„Natuurlijk kan dat," reageerde Franka ongeduldig. „Ik had je toch gezegd dat ik haar op wilde sporen? Ik heb een brief naar het FIOM geschreven en zij hebben contact met Romy gezocht met de vraag of zij openstond voor een ontmoeting met mij. Nou, dat is dus zo. Ze heeft die brief gisteren gekregen, vanochtend gebeld voor mijn gegevens en nu komt ze hierheen."

„En dat regel jij zomaar even achter mijn rug om?" vroeg Freek ongelovig. „Ik word gewoon voor een voldongen feit gesteld, alsof ik niet meetel?"

„Zeur niet, ik heb je gezegd wat ik van plan was. Je zou blij voor me moeten zijn dat het allemaal zo snel gerealiseerd wordt."

„We hadden op zijn minst even kunnen overleggen. Je hebt me meegedeeld dat je Romy wilde zoeken, ja, maar meer is er niet over gezegd. Ik leefde in de veronderstelling dat je je alweer bedacht had."

„Zo enthousiast was je reactie nu eenmaal niet," zei Franka kortaf.

„Dus verzwijg je het verder en doe je alles op eigen houtje? Zo werkt het niet in een huwelijk, Franka."

„Freek, alsjeblieft." Smekend keek ze hem aan. „Kun je niet gewoon blij voor me zijn? Ik sta op het punt om voor het eerst mijn dochter te zien, dit is niet het moment voor een discussie. Ik ben hartstikke zenuwachtig. Het spijt me dat ik er verder niets over gezegd heb, maar ik was bang dat je me tegen zou werken en dat ik daaraan toe zou geven. Jij hebt altijd van die verstandige argumenten, die moeilijk te weerleggen zijn."

54

„Dus hou je je mond, volkomen logisch," zei Freek spottend. Hij draaide zich om naar de deur. „Ik wilde dat je altijd zo onafhankelijk handelde," mompelde hij nog voor hij koers zette naar de slaapkamer om zich aan te kleden.

Met nijdige gebaren rukte hij wat kledingstukken uit zijn kast. Hij kon begrip opbrengen voor Franka's gevoelens, maar niet voor de manier waarop ze dit aanpakte. Toen ze hem enkele dagen geleden over haar plannen vertelde, had hij verwacht dat ze er eerst een paar keer over zouden praten. Als ze het dan nog steeds wilde, konden ze samen alle benodigde stappen zetten, had hij zich voorgesteld. Met zijn tweeën, zoals dat hoorde binnen een goed huwelijk. Maar wat hij en Franka hadden, had allang niets meer te maken met een goed huwelijk. Hij kreeg het plotseling benauwd bij deze gedachte, die zich niet meer liet verdringen. Ze leefden langs elkaar heen en hadden elkaar weinig meer te vertellen. Er was echter niets wat hij kon doen. Franka was zwanger, hij kon haar onmogelijk nu verlaten. Dat had hij al veel eerder moeten doen. Als een mokerslag drong het besef tot hem door dat het te laat was, dat hij niet meer terugkon.

HOOFDSTUK 6

Zodra Franka de deur opende, wist ze dat haar gevoel haar niet bedrogen had. De jonge vrouw die voor de deur stond en haar verlegen aankeek, was dezelfde als die ze die bewuste middag in de stad had gezien. Het meisje dat ze sindsdien niet meer uit haar hoofd had kunnen zetten.

„Romy," zei ze langzaam. Het was een raar moment, nu ze tegenover elkaar stonden. Ze leken beiden niet te weten wat ze tegen elkaar moesten zeggen. In gedachten had Franka gefantaseerd over deze eerste ontmoeting. Zij en haar dochter zouden elkaar ontroerd in de armen vallen, allebei snikkend van blijdschap om deze hereniging. In werkelijkheid gebeurde er niets van dit alles. Ze keken elkaar peilend aan, zoekend naar iets bekends. De tranen bleven uit.

„Kom binnen," zei Franka uiteindelijk na een paar seconden die een eeuwigheid geduurd leken te hebben. „Kon je het makkelijk vinden?" Het was een banale vraag in deze omstandigheden, maar het eerste wat haar te binnen schoot. Romy knikte bevestigend. „Ik ken deze buurt wel," zei ze. „Een vroegere schoolvriendin van me heeft hier achter gewoond, ik ben wel eens bij haar op visite geweest. Wat een raar idee dat ik vlak bij u in de buurt ben geweest."

„Ik heb jou al eens gezien," vertelde Franka nu. „Een paar weken geleden, in een restaurant in het centrum. Je was met een kleine, tengere vrouw."

„Mijn moeder," zei Romy meteen.

Franka slikte even iets weg. Dat klonk zo vanzelfsprekend. Waar plaatste haar dat?

„We gaan regelmatig samen de stad in op koopjesjacht. Heeft u me echt gezien? Wist u dat ik het was?"

Franka schudde haar hoofd. „Ik wist het niet, maar je lijkt zo sprekend op je vader dat de gedachte wel in me opkwam. Er kwamen direct allemaal herinneringen in me boven waarvan ik meende dat ik ze allang vergeten was."

„Uw gezicht zegt me niets. Gek, ik heb altijd het idee gehad dat ik mijn echte moeder onmiddellijk zou herkennen als ik haar tegen zou komen. Nu blijkt dat we dus vlak naast elkaar hebben gezeten."

Romy trok haar jas uit en liep achter Franka aan de huiskamer binnen. Nieuwsgierig keek ze om zich heen, alsof ze zich aan de hand van de inrichting een beeld van haar echte moeder kon vormen. Het leek alsof dit allemaal niet echt gebeurde, maar dat ze het droomde. Het viel haar direct op dat er behalve het trouwportret van Franka en Freek geen enkele foto stond of hing. Bij haar ouders thuis hingen overal jeugdfoto's van haarzelf. Zouden Franka en Freek geen kinderen hebben, vroeg Romy zich in stilte af. Ze durfde deze vraag echter niet te stellen, hoewel ze erg benieuwd was of ze nog halfbroers of -zusjes had.

Gespannen roerde ze even later in haar kopje koffie.

„Ik eh… Ik weet niet goed hoe ik u moet noemen," zei ze aarzelend. „Ik weet dat u mijn moeder bent, maar ik héb al een moeder."

„Zeg maar gewoon Franka," stelde Franka voor. Ze probeerde haar stem luchtig te laten klinken.

„En ik ben Freek," klonk het vanuit de deuropening. Freek liep naar binnen en stak spontaan zijn hand naar Romy uit. „Jij moet Romy zijn. De verloren dochter."

„Nou, verloren… De weggegeven dochter." Er viel een diepe stilte na die woorden en Romy haastte zich om haar excuus aan te bieden. „Sorry, dat klonk niet zoals ik het bedoelde. Ik wilde niet hatelijk zijn."

„Strikt genomen heb je natuurlijk gelijk," zei Franka moeilijk. „Ik heb je ook weggegeven, maar dat klinkt erg cru. De omstandigheden waren zwaar. Ik kon niet zelf voor je zorgen, zelfs als ik het gewild zou hebben."

„Maar je wilde niet," constateerde Romy. Ze had het afstandelijke 'u' laten varen.

„Ik was zestien en de man van wie ik had gedacht dat ik er mijn leven mee zou delen had onze relatie verbroken. Ik zag geen andere uitweg. Abortus was een mogelijkheid geweest, maar dat wilde ik niet. Er zijn zoveel ongewild kinderloze mensen op de wereld dat het me een goed idee leek om jou af te staan aan iemand die je wel graag wilde hebben en die ook voor je kon zorgen. Ik hoopte dat je een goed leven zou hebben."

„Dat is in ieder geval gelukt. Ik heb een heerlijke jeugd gehad, met schatten van ouders," zei Romy.

Er lag een warme klank in haar stem die Franka zowel blij als triest stemde. Natuurlijk was ze gelukkig omdat Romy, haar baby, goed terecht was gekomen, maar diep in haar hart had ze een klein beetje hoop gekoesterd dat Romy het niet zo heel goed had getroffen en dat ze daardoor naar haar toe zou trekken. Tot nu toe leek daar echter weinig kans op. De sfeer was gespannen en er was geen sprake van een klik tussen hen. Franka en Romy waren gewoon twee wild-vreemden die elkaar probeerden te leren kennen.

„Toch sta je ervoor open om je werkelijke ouders te leren kennen, anders had je niet gebeld," kon Franka niet nalaten met iets van triomf te zeggen.

Romy knikte bedachtzaam. „Je ware achtergrond trekt altijd. Zoals ik al zei heb ik schatten van ouders, maar ik herken mezelf niet in hen. Uiterlijk lijk ik niet op mijn vader en moeder en innerlijk ook niet. Ik heb bepaalde trekjes waarvan ik me afvraag aan wie ik die te danken heb. Bovendien ben ik natuurlijk gewoon nieuwsgierig naar het hoe en waarom. Welke keus had jij, wie is mijn vader, wat waren de omstandigheden waarin ik geboren ben? Dat soort vragen houdt me regelmatig bezig. Normaal gesproken groei je als kind op met dit soort achtergrondverhalen, mijn ouders vertelden me altijd dat ik uit de buik van een andere mama kom en dat ik bij hen kwam wonen omdat ze me zo graag wilden hebben. Leuk om te horen natuurlijk, maar er mist toch een wezenlijk stuk informatie."

Franka schoot in de lach. „Zo te horen heb je in ieder geval veel van mijn opa Frank meegekregen, je bent net zo verstandig en bedachtzaam. Zeg eens eerlijk: heb je impulsief besloten dat je mij wilde ontmoeten of heb je er lang over nagedacht?"

„Ik heb er natuurlijk over nagedacht," antwoordde Romy

verbaasd. „Zo'n besluit neem je niet zomaar. Ik zag best wel veel beren op mijn weg, juist omdat je geen idee heb welke antwoorden er zijn."

„Zie je wel, precies opa," grinnikte Franka. „Zijn leidraad in het leven was heel simpel. Wacht een dag voor je een definitief besluit neemt, zei hij altijd. Zet de zaken eerst op een rijtje en denk goed na over de gevolgen. Zelf was ik vroeger helemaal niet zo, dat heb ik echt van hem geleerd, maar bij jou zit het er van nature in. Wat leuk."

Deze ontdekking en de vanzelfsprekende manier waarop Franka foto's van haar opa uit de kast haalde om te laten zien, ontdooide de sfeer enigszins. Romy bekeek aandachtig de papieren afbeelding van haar overgrootvader. Het was een vreemde gewaarwording voor haar. Natuurlijk bezat ze familieleden, dit was echter de eerste keer in haar leven dat ze zich realiseerde dat ze ook echte bloedverwanten bezat.

„Uiterlijk heb ik helemaal niets van hem," zag ze.

„Dat klopt, jij lijkt sprekend op je vader," vertelde Franka nu meer onbevangen.

„Heb je van hem ook foto's?" wilde Romy nieuwsgierig weten.

„Een paar maar. Er waren maar heel weinig mensen die van onze relatie afwisten, omdat hij zo'n stuk ouder was dan ik. Ik nam hem bijvoorbeeld niet mee naar familiefeestjes, maar we hebben een keer samen foto's gemaakt in zo'n fotohokje. Knus op elkaars schoot." Franka glimlachte bij de herinnering. Dat was een zalige dag geweest. Eric had een dag vrij genomen van zijn werk en zij had gespijbeld van school. In zijn auto waren ze naar een stad honderd kilometer verder gereden en hadden ze een dag lang de toerist uitgehangen. Ze hadden een museum bezocht, een lange boswandeling gemaakt en op een terrasje wat gegeten en gedronken. 's Middags waren ze het centrum ingegaan, waar Eric een armband voor haar had gekocht. Een paar minuten later had Franka het fotohokje gezien en had ze hem lachend mee naar binnen getrokken. Acht foto's waren er gemaakt. Op sommige daarvan keken ze serieus de camera in, op andere trokken ze gekke gezichten of lachten ze. Op één foto waren ze te zien in een innige omhelzing. Het was een dag met een gouden randje geweest en ze was ervan overtuigd dat hun liefde een leven lang zou duren. Eric en zij hoorden bij elkaar, ondanks het leeftijdsverschil. Kort daarna ontdekte ze dat ze zwanger was en vielen al haar dromen in duigen bij zijn bekentenis dat hij getrouwd was en drie kinderen had. De herinnering aan die ene dag voor hen samen was haar echter altijd bijgebleven, al had ze de bewuste foto's diep weggestopt en er nooit meer naar gekeken. Ze had die afbeeldingen niet nodig om nog precies te weten hoe het gegaan was.

Op Romy's verzoek haalde Franka ze nu tevoorschijn. Ze moest ervoor naar boven, want alle herinneringen aan die periode in haar leven lagen diep weggestopt in een oude schoenendoos achter in haar kledingkast. Ze had ze nooit weg kunnen gooien, maar had ook geen behoefte gehad om ernaar te kijken. Gezeten op de rand van haar bed haalde ze met trillende vingers het deksel van de doos af en voor het eerst sinds twintig jaar grijnsde de beeltenis van Eric haar weer aan. Ze had zich niet vergist, Romy leek inderdaad sprekend op hem. Hun relatie was, van haar kant, heel puur en liefdevol geweest. De afloop bleek echter smerig en goedkoop, toch was er iets heel moois uit voortgekomen. Voor zover ze dat in een uurtje tijd kon beoordelen leek Romy haar een verstandige, vlotte en sociale jonge vrouw. Onwillekeurig vroeg Franka zich af of haar dochter ook zo goed opgegroeid zou zijn als zij haar zelf opgevoed had. Enfin, dat was iets wat ze nooit te weten zou komen.

„Hebben jullie samen geen kinderen?" vroeg Romy inmiddels in de huiskamer aan Freek. Aan hem durfde ze deze vraag wel te stellen.

„Nog niet, maar Franka is zwanger. Heel pril nog maar, dus het duurt nog een tijdje, maar er wordt dus aan gewerkt," vertelde hij opgewekt.

„Wat een bizar idee. Ik krijg dus een broertje of zusje terwijl ik zelf al twintig ben."

„Vind je dat niet leuk?"

Romy knikte langzaam. „Eigenlijk wel, ja," ontdekte ze tot haar eigen verrassing. „Het is wel heel apart. Ik vraag mezelf regelmatig af of ik in de toekomst wel of geen kinderen wil hebben, dus dit wordt een goede oefening voor me. Als ik het kindje tenminste regelmatig te zien krijg," voegde ze eraan toe. Plotseling kwam het schrikbeeld bij haar op dat Franka straks meer dan genoeg zou hebben aan haar baby en dat zij dan niet meer welkom was.

„Maak je daar maar geen zorgen om," stelde Freek haar meteen gerust. „Je moeder, Franka dus, wil niets liever dan jou in haar leven betrekken. Ze heeft tenslotte twintig jaar in te halen."

„Dan had ze me ook wel eerder op kunnen sporen." De opmerking was eruit voor Romy hem tegen kon houden. Ze sloeg beschaamd haar ogen neer. „Sorry," mompelde ze.

Freek nam haar echter niets kwalijk, hij begreep heel goed hoe dit meisje zich moest voelen. Het was ook zo'n verwarrende situatie. „Je lijkt toch niet zoveel op opa als Franka denkt, hij dacht altijd drie keer na voor hij iets zei," grinnikte hij. Serieuzer liet hij erop volgen: „Franka heeft zich twintig jaar lang staande gehouden door bewust niet aan jou te denken. Ze heeft het verleden geblokkeerd en zich gericht op het heden en de toekomst, de enige manier voor haar om ermee om te gaan zonder zelf in te storten. Haar zwangerschap, die we overigens zelf niet meer hadden verwacht, bracht haar herinneringen ineens weer levensgroot terug. Daardoor werd ze onverwacht keihard met haar verleden geconfronteerd, wat resulteerde in een verlangen naar jou dat ze niet meer kon onderdrukken."

„Dus als ze niet zwanger was geworden, had ze me misschien nooit gezocht," constateerde Romy.

„Dan had het wellicht langer geduurd, toch was het er ooit wel van gekomen," meende Freek echter. „Je bent haar kind, haar eigen vlees en bloed. Dat is onmogelijk een leven lang te ontkennen of te verstoppen. De komende baby heeft het proces alleen versneld." Plotseling begon hij te lachen. „Wat heel goed uitkomt, nu hebben we tenminste een vertrouwde oppas straks," plaagde hij.

„Ja hoor, met alle liefde," ging Romy daar serieus op in. Ze vond deze man op het eerste gezicht al sympathiek. Dat was overigens wederzijds. Freek mocht Romy meteen en het kostte hem geen enkele moeite om haar open tegemoet te treden, ook al herkende hij niets van Franka in haar. De ontspannen manier van praten en de losse sfeer die Romy gehoopt had met haar biologische moeder te kunnen hebben, vond ze nu onverwachts bij haar echtgenoot. Wat ze van Franka moest denken wist ze eigenlijk nog niet. Ze vond haar zeker niet onsympathiek, maar daar was dan ook alles mee gezegd. Haar romantische ideeën over de onverbrekelijke band tussen een moeder en haar kind, die elkaar direct herkenden ook al hadden ze elkaar nooit gezien, bleken in ieder geval niets met de werkelijkheid te maken te hebben. Franka mocht dan haar biologische moeder zijn, ze voelde daar niets bij. Het kon net zo goed een willekeurige buurvrouw zijn, dacht Romy gelaten bij zichzelf. Ze voelde zich een beetje ongemakkelijk in haar bijzijn, iets waar ze geen last van had bij Freek. Met hem praatte ze nu honderduit over haar werk, haar familie en haar vrienden. Ze werden in dat gesprek gestoord omdat Franka binnenkwam.

„Sorry dat het even duurde, ik kon het zo snel niet vinden," excuseerde ze zich niet helemaal naar waarheid. In werkelijkheid had ze lange tijd op de rand van haar bed gezeten, starend naar de lang weggestopte, maar nooit vergeten foto's. Even had ze zich weer zestien gevoeld in plaats van zesendertig. Ze overhandigde de foto's aan Romy, die ze aandachtig bekeek.

Ze leek inderdaad veel op hem, ontdekte ze met een brok in haar keel. Dezelfde gezichtsvorm, dezelfde groene ogen, dezelfde haarkleur, hetzelfde, enigszins mollige postuur en dezelfde brede mond. Alle uiterlijke kenmerken die ze vergeefs had gezocht bij haar familieleden, zag ze nu terug bij haar biologische vader. Een heel scala van vragen over hem buitelde door haar hoofd. Ze wilde alles weten, ook de negatieve zaken.

„Hoe oud was hij toen deze foto gemaakt werd?" vroeg ze.

„Eenendertig," antwoordde Franka eerlijk. „Ja, ik weet wat je denkt. Er zat inderdaad vijftien jaar verschil tussen ons en ik was pas zestien. Natuurlijk klopt dat niet, maar als zestienjarige vond ik het alleen maar verschrikkelijk interessant dat een volwassen man belang in mij stelde. Het feit dat hij verliefd was en aandacht aan me schonk, was een enorme stimulans voor mijn zelfvertrouwen en ik heb me dan ook kritiekloos in een relatie met hem gestort. Het kostte hem heel weinig moeite om me zover te krijgen dat ik met hem naar bed ging."

„Met een kind als gevolg," constateerde Romy nuchter, alsof het niet over haarzelf ging. „Was hij boos?"

„Woest," bekende Franka. Ze had Romy dit soort details graag bespaard, maar begreep dat dit een irreële gedachte was. De waarheid kwam altijd boven tafel, ze kon het beter direct van haar horen dan dat ze er achteraf achter kwam, nadat ze haar vader in gedachten misschien geïdealiseerd had. „Hij eiste dat ik er iets aan moest laten doen en stelde meteen heel duidelijk dat hij er absoluut niets mee te maken wilde hebben. Hij bleek getrouwd te zijn en drie kinderen te hebben, de jongste was toen nog geen jaar."

„En daar wist jij niets van af?"

„Natuurlijk niet. Ik was hopeloos romantisch, maar als ik dat geweten had zou ik er nooit aan begonnen zijn," zei Franka verontwaardigd. „Het kwam geen seconde in mijn hoofd op zelfs. Naïef als ik was ging ik er simpelweg van uit dat hij vrijgezel was, anders zou hij geen toenaderingspogingen ondernomen hebben. De waarheid was een enorme klap voor me. In enkele secondes stortte mijn wereld volledig in. Dat was overigens ook de laatste keer dat ik Eric gezien of gesproken heb."

„Hoe reageerden je ouders? Heb je mij afgestaan onder druk van hen?" wilde Romy vervolgens weten.

„Nee, absoluut niet. Natuurlijk stonden ze niet te juichen bij mijn mededeling, maar ze hebben me de vrije keus gelaten," antwoordde Franka direct. „Als ik je had willen houden, zou je welkom zijn geweest in hun huis en in hun leven. Ik kon en durfde dat zelf niet aan. Toen ik van mijn huisarts had gehoord dat ik zwanger was droomde ik van een leven met Eric aan mijn zijde. Samen zouden we voor de baby zorgen en natuurlijk zo snel mogelijk trouwen. Die roze droom heeft slechts een paar uur geduurd, tot aan het moment dat ik het hem vertelde. Daarna was alles anders. Mijn roze droom werd pikzwart, zonder één enkel lichtpuntje. Ik moest mijn gevoel uitschakelen en puur alles vanuit mijn verstand beslissen, anders had ik me niet staande kunnen houden. Het was een rationeel besluit."

„Heb je er ooit spijt van gehad?"

Er viel een stilte na deze vraag van Romy. Franka dacht koortsachtig na hoe ze hierop moest antwoorden. De waarheid vertellen en zeggen dat ze in twintig jaar amper aan haar dochter had gedacht, klonk wel erg hard. Erover liegen en boudweg beweren dat ze er jarenlang hete tranen om had vergoten vond ze echter ook geen optie.

„Ik had al mijn gevoel uitgeschakeld," zei ze voorzichtig, zoekend naar woorden.

„Niet dus," concludeerde Romy hieruit.

„Jawel, maar pas sinds kort," verbeterde Franka haar. „Zodra je geboren was heb ik je diep weggestopt op de bodem van mijn hart en daar ben je twintig jaar gebleven. De laatste tijd kom je echter steeds vaker boven."

„Sinds je opnieuw zwanger bent," begreep Romy. „Freek vertelde het me net."

„Ik hoop dat je het begrijpt," zei Franka zacht.

Romy schokschouderde. „Ik krijg ineens zoveel te horen, ik weet niet wat ik voel. Het is zo onwerkelijk allemaal. Ik ben in ieder geval wel blij om te weten dat je echt verliefd was op mijn vader toen ik verwekt werd en dat ik niet het product ben van een verkrachting of zo. Toch blijft het feit dat zowel mijn vader als jij me niet wilden hebben."

„Het heeft misschien lang geduurd, maar van nu af aan ben

je hier in ieder geval altijd welkom," zei Freek vriendelijk. „Niet alleen bij je moeder, maar ook bij mij."

„Dank je wel." Romy glimlachte door haar tranen heen naar hem.

„Ik hoop dat we contact blijven houden, ik wil je heel graag beter leren kennen," zei Franka.

„Ik wil eerst alles even laten bezinken," zei Romy terwijl ze opstond en naar de hal liep. „Het is al laat, ik ga naar huis. Zullen we afspreken dat we elkaar volgende week een keer bellen voor een nieuwe afspraak? Er is nog veel meer wat ik graag wil weten, maar voor de eerste keer heb ik wel even genoeg gehoord om te verwerken."

„Zal ik je thuisbrengen? Ik vind het geen prettig idee dat je nu achter het stuur kruipt," zei Freek bezorgd.

Romy schudde beslist haar hoofd. „Nee, ik wil graag alleen zijn nu. Je hoeft je niet ongerust te maken, ik laat mijn gedachten nooit afleiden in het verkeer. Het is juist wel fijn dat ik nu even goed op de weg moet letten en niet na kan denken over alles."

„Bel dan in ieder geval als je thuis bent," bedong hij. „Ik wil zeker weten dat je veilig aangekomen bent."

Als vanzelfsprekend pakte hij haar schouders vast en kuste haar op haar wangen, een gebaar dat Romy spontaan beantwoordde. Schutterig stond ze daarna tegenover Franka, allebei niet goed wetend wat te doen. Het was Franka die uiteindelijk aarzelend een zoen op haar wang drukte en Romy onderging dat gelaten.

Lang staarde Franka de rode achterlichten van Romy's auto na, rillend in de koude avondlucht. Ze had eindelijk haar dochter teruggevonden, na twintig lange jaren. Het kleine, rode, krijsende wezentje dat uit haar lichaam gekomen was, was nu een jonge, zelfbewuste en intelligente vrouw, een ontwikkeling waar ze totaal niets van mee gemaakt had. Ze hoopte dat Romy haar de kans zou geven om iets van die achterstand in te halen.

HOOFDSTUK 7

De relatie tussen Franka en Romy ontwikkelde zich zeer langzaam. Waar Romy met Freek in de weken na hun eerste ontmoeting een vanzelfsprekende vriendschap opbouwde, ging het met Franka een stuk moeilijker, hoewel Franka er alles aan deed om een hechte band met Romy te creëren.

„Te veel zelfs," klaagde Romy tegen Petra terwijl ze samen de afwas van die dag wegwerkten. Ze droogde een beker af en zette die met zo'n klap op het aanrecht terug dat Petra onwillekeurig even keek of er geen barsten in zaten. Wijselijk hield ze haar mond over deze mishandeling van haar servies, want Romy had nu wel belangrijkere zaken aan haar hoofd dan een stukje aardewerk, oordeelde ze. Ze vertelde hier thuis niet zoveel over Franka, maar nu leek het haar bijzonder hoog te zitten. „Ze dringt zich gewoon op. Ze is heel aardig, hoor, maar ik heb er absoluut geen behoefte aan om alle intieme details uit mijn leven met haar te bespreken, alleen maar omdat ze toevallig de vrouw is die me op de wereld heeft gezet. Ze gedraagt zich alsof we hartsvriendinnen zijn en we een onverbrekelijke band hebben samen. Ik wil dat niet. Het is fijn dat we elkaar gevonden hebben en ik ben heus niet van plan om dat contact weer te verbreken, maar ik hoef haar niet dagelijks aan de telefoon te hebben en ik wil ook mijn privézaken niet met haar bespreken."

„Misschien gaat dat vanzelf over," vermoedde Petra rustig. „Het is natuurlijk wennen, voor jullie allebei. Het klinkt mij in de oren alsof Franka heel erg onzeker is en dat camoufleert door net te doen of jullie op één lijn zitten. Het valt ook niet mee allemaal. Geef haar wat tijd."

„Zij is hier toch de oudere, de volwassene?" zei Romy daar nijdig op.

„Ze is bang. Bang om jou opnieuw te verliezen, daarom stelt ze zich op als de persoon zoals jij die ziet volgens haar. Een jong, hip iemand met wie je kunt praten en lachen. Vooral geen moederfiguur, want je hebt haar duidelijk gemaakt dat je al een moeder hebt. Juist daardoor profileert ze zichzelf als vriendin," zei Petra bedachtzaam.

„Ze dringt zich aan me op," zei Romy opnieuw. „Ze wil echt alles van me weten, tot in de kleinste details toe. Hun logeerkamer is al ingericht naar mijn smaak, voor als ik eens een keertje wil blijven slapen. Toen ik me vorige week liet ontvallen dat ik gek ben op katten wilde Franka onmiddellijk een kat aanschaffen, waarschijnlijk in de hoop dat ik dan vaker langskom. Gelukkig kon Freek het nog uit haar hoofd praten, maar ik word er langzamerhand gek van. Ik ben blij dat ik mijn biologische moeder heb gevonden en mijn achtergrond nu weet te plaatsen en ik was serieus van plan om haar in mijn leven te betrekken, maar op deze manier hoeft het van mij niet meer. Ze stuurt erg aan op een ontmoeting met jou en papa, maar ik ben er niet op ingegaan. Het benauwt me allemaal nogal."

„Toch zou je dat juist moeten doen, haar hier uitnodigen, bedoel ik," zei Petra terwijl ze het aanrecht droogmaakte en de afwasbak wegzette. Aan de hand van Romy's verhaal kon ze zich een goed beeld vormen over Franka en de aanvankelijke angst dat Franka Romy van haar af zou pakken, was omgeslagen in medelijden. Het was pure onzekerheid die haar zo deed handelen, besefte ze. Franka had tijdens haar tienerjaren, die zo belangrijk zijn voor een mens, heel veel meegemaakt wat voorgoed een stempel op haar had gedrukt. „Hoe meer je haar bij je leven betrekt, hoe minder redenen ze heeft om je te pushen dat te doen. Stel haar voor aan ons en aan je vrienden, laat haar je kamer zien en neem haar een keer mee naar de winkel. Dan weet ze alles wat ze weten wil."

„Dan wordt het misschien nog erger," zei Romy somber.

„Dat denk ik juist niet. Het is natuurlijk ook wel logisch dat ze zich in jouw leven wil verdiepen, die kans moet je haar geven. Als het zo blijft als nu, kun je altijd rustig om de tafel gaan zitten met haar en die Freek en bespreken hoe je je voelt. Het is nu echter allemaal nog zo nieuw en vreemd, volgens mij weet ze niet goed hoe ze ermee om moet gaan," zei Petra verstandig.

„Dan wordt het tijd dat ze dat leert," bromde Romy nog obstinaat.

Petra schoot in de lach en trok haar dochter even naar zich toe. Liefkozend woelde ze door de donkerbruine haren. „Dat komt echt wel," verzekerde ze haar. „Weet je wat? Je nodigt ze uit voor een avondje hier, dan vraag ik of papa ook komt. Vervolgens laat je Heidi om een uur of negen bellen en ga je met een smoesje naar haar toe, dan kunnen papa en ik rustig met ze praten."

„Is dat wel zo'n goed idee?" aarzelde Romy. Ze voelde zich heel dubbel naar Franka toe. Ze verwenste haar vele telefoontjes en haar opdringerigheid, maar wilde haar toch niet kwetsen door dat ronduit te zeggen. „Ik wil haar geen pijn doen."

„Laat dat maar aan mij over. Ik zal haar heus niet ronduit zeggen dat ze je met rust moet laten, maar ik kan het gesprek wel subtiel in die richting sturen en haar duidelijk maken dat ze je niet te veel op je huid moet zitten als ze je niet opnieuw kwijt wil raken. Ik ben trouwens ook wel erg nieuwsgierig naar hen, ik wil ze graag leren kennen. Ik zal papa bellen of hij morgenavond kan, dan kun jij daarna de afspraak met Franka en Freek maken."

Arjan hoefde zich geen twee keer te bedenken en zegde toe dat hij kwam. Heidi beloofde vervolgens om Romy die avond te bellen.

„Mijn neef Timo komt morgenavond bij me, maar dat is geen bezwaar," zei ze. „Je hebt hem vroeger wel eens gezien voor ze naar het oosten van het land verhuisden. Hij vindt het vast leuk om de kennismaking met jou te vernieuwen."

Daarna belde Romy naar Franka, die duidelijk blij was met dit telefoontje.

„Ik was net van plan om jou te bellen, ik heb al zo lang niets van je gehoord," zei ze vrolijk.

Twee dagen, dacht Romy bij zichzelf.

„Heb je zin om vanavond langs te komen? Ik heb een catalogus met babykamers en wil graag jouw mening voor we tot de aanschaf overgaan."

„Het is jullie huis, je moet je eigen smaak volgen," zei Romy afwerend.

„Maar wat jij vindt is ook belangrijk, we moeten het allemaal leuk vinden."

Romy zuchtte ingehouden. Dit was nou precies wat haar zo tegenstond. Natuurlijk kon het best leuk zijn om samen met Franka de spulletjes voor de baby uit te zoeken, maar het werd als zo'n verplichting gebracht. Het zou Franka geen bal moeten kunnen schelen of de babykamer haar smaak was of niet, als ze er zelf maar blij mee was. Romy wist nu al zeker dat Franka absoluut geen meubeltjes zou kopen die zij niet mooi vond. Even kwam ze in de verleiding om te roepen dat ze van gifgroen hield, maar ze slikte die woorden toch maar weer in.

„Mijn moeder vroeg of jullie zin hebben om morgenavond kennis te komen maken," veranderde ze snel van onderwerp. Zoals ze wel verwacht had stemde Franka daar gretig mee in. Het duurde zeker nog een kwartier voor ze met goed fatsoen het gesprek kon beëindigen en met een zucht van verlichting legde Romy de hoorn terug op het toestel. Ze hoopte echt dat haar moeder wat zou bereiken bij Franka, want op deze manier ging het contact haar alleen maar tegenstaan, terwijl dat toch niet was wat ze wilde. Ze zou graag op een normale manier met haar biologische moeder om willen gaan, maar blijkbaar had Franka hele andere ideeën over wat normaal was dan zijzelf. Nu al, na slechts enkele weken, voelde ze zich verplicht om regelmatig naar haar toe te gaan, anders gedroeg Franka zich als een verongelijkt kind. Gelukkig maakte Freek een hoop goed. Dankzij hem vond ze het niet erg om naar ze toe te gaan. Met zijn plagerijtjes en oprechte belangstelling voor alles wat haar bezighield, zorgde hij ervoor dat de sfeer ontspannen en gezellig bleef.

Het was jammer dat hij haar biologische vader niet was, in plaats van Franka haar biologische moeder, peinsde Romy. Ze had van Franka het toenmalige adres van Eric van Haaksbergen gekregen, haar verwekker, maar ze had er nog niets mee gedaan. Ooit wilde ze hem ook opzoeken, maar niet nu. Eén ouder tegelijk was wel genoeg.

Een kwartier vroeger dan afgesproken weerklonk de volgende avond de bel door het huis. Romy sprong zenuwachtig overeind. Ze was benieuwd hoe haar ouders Freek en Franka zouden vinden en hoopte dat ze met elkaar overweg konden. Hoe gespannen haar verhouding met Franka af en toe ook was, ze wilde iedereen in haar leven houden. Dat zou een stuk moeilijker worden als de diverse paren het onderling niet met elkaar konden vinden. Ze voelde zich jegens Petra en Arjan toch al schuldig omdat ze per se haar biologische moeder had willen vinden. Aan de andere kant had ze een schuldgevoel jegens Franka omdat ze haar niet als echte moeder erkende, omdat Petra die plaats al lang geleden ingenomen had. Niemand, ook Franka niet, kon haar van die plek verdrijven, bloedband of niet.

„Kom binnen, kom binnen," begroette ze Franka en Freek nu geforceerd opgewekt. Haar ademhaling ging snel. „Hang hier jullie jassen maar op. Deze deur door, hier is de huiskamer." Ze liep als eerste naar binnen, met Franka en Freek als hondjes achter haar aan. Petra en Arjan waren al opgestaan en schutterig stelde Romy ze aan elkaar voor. „Mam, pap, dit is Franka en dit is Freek. Dit zijn mijn vader en mijn eh… moeder."

Dat laatste woord klonk toch een beetje aarzelend, iets wat Petra onder deze omstandigheden volkomen begreep, maar wat haar toch een pijnlijke steek in haar hart gaf. Arme Romy, ze moest zich nu wel heel erg tussen twee vuren in voelen, dacht ze ondanks dat medelijdend. Ze knikte haar dochter warm toe.

„Prettig om eindelijk eens kennis te maken met de vrouw van wie wij onze dochter gekregen hebben," zei ze hartelijk terwijl ze Franka stevig de hand schudde. Ze kon het toch niet laten om even nadrukkelijk Romy haar dochter te noemen.

Franka kneep heel kort haar ogen samen. Deze vrouw was

een geduchte tegenstander in de strijd om Romy's liefde, wist ze meteen. Ze liet echter niets van haar gevoelens merken en maakte vlot kennis met hen allebei. Romy zuchtte van verlichting. Het leek goed te gaan tussen de vier volwassenen, een pak van haar hart. Ze had heel erg tegen deze eerste ontmoeting opgezien. Arjan en Freek konden het direct goed met elkaar vinden en merkten niets van de onderhuidse spanningen tussen Petra en Franka. Er werd niet over het verleden gesproken, het gesprek ging over de diverse banen en alledaagse zaken, tot Romy's mobiele telefoon tegen negen uur begon te rinkelen. Heidi, wist ze. Ze liep met haar telefoon naar de gang en keerde even later met een verontschuldigend gezicht terug de kamer in.

„Dat was Heidi, ze heeft een probleem en vroeg of ik even wil komen. Jullie vinden het toch niet erg?"

„Natuurlijk niet," zei Petra meteen met een knipoog van verstandhouding. „Ga maar gauw. Doe haar de groeten van me."

„Zal ik doen. Ik weet niet hoe laat ik thuiskom, wacht maar niet op me." Met een zwaai naar alle aanwezigen liep Romy weg.

Franka keek haar met een afkeurend gezicht na. „Vreemd," zei ze. „Dit is toch niet bepaald zoals het hoort. Daar had je best wat van kunnen zeggen, Petra."

„Heidi is al van jongs af aan haar beste vriendin," reageerde Petra vriendelijk. „Als die twee meiden elkaar nodig hebben zijn ze er voor elkaar, hoe dan ook."

„Ik zou het niet in mijn hoofd halen om mijn visite zomaar te laten zitten."

„Maar vanavond zijn jullie mijn visite en niet die van Romy," zei Petra opgewekt. „Ze is bijna eenentwintig, Franka, ik kan haar niet meer constant vertellen wat ze wel of niet moet doen. Ze is volwassen."

„Wat niet inhoudt dat ze daarom geen rekening meer met andere mensen hoeft te houden," zei Franka vinnig.

De afkeuring was duidelijk van haar gezicht te lezen en hoewel ze niet precies zei wat ze bedoelde begreep Petra meteen dat ze geen hoge pet op had van de opvoeding die

Romy had genoten. Ze drukte even haar nagels in haar hand-palmen, maar hield zich in. Ze wilde zich absoluut niet laten verleiden tot een ruzie met deze vrouw. Misschien was dat wel haar bedoeling, al of niet onbewust. Een flinke ruzie uit-lokken om vervolgens Romy als inzet te gebruiken.

„Romy is een heel lief en meegaand meisje, maar ze heeft haar grenzen. Als iemand haar te veel op de huid zit rukt ze zich los," zei ze kalm.

„Wat bedoel je daarmee?"

„Precies wat ik zeg. Je kan ver gaan bij haar, maar niet té ver. Uiteindelijk maakt ze toch haar eigen keuzes. Romy is een meisje dat je vrij moet laten om haar te behouden." Petra stond op en begon de lege koffiekopjes te verzamelen. „Willen jullie nog koffie?" vroeg ze opgewekt. Ze hoopte dat Franka de hint had begrepen. Veel meer kon ze er niet over zeggen zonder te verraden dat Romy zich over haar houding beklaagd had.

De rest van de avond verliep enigszins stroef, hoewel Arjan en Freek geen moeite hadden om het gesprek gaande te hou-den. De twee mannen konden het wonderlijk goed met elkaar vinden en spraken al snel enthousiast af om samen een keer te gaan vissen.

„Misschien hebben jullie zin om mee te gaan," wendde Arjan zich tot de vrouwen. „Kunnen jullie lekker in het zonnetje zitten kletsen terwijl wij onze hengels uitgooien. Gezellig met zijn vieren."

Franka keek van Arjan naar Petra. „Jullie zijn toch geschei-den?" vroeg ze alsof ze daaraan twijfelde.

„Dat wil toch niet zeggen dat we nooit iets samen kunnen doen?" zei Arjan daarop. „Petra en ik zijn na onze scheiding vrienden geworden. In eerste instantie ter wille van Romy, die recht had op een normale omgang met allebei haar ouders, maar die vriendschapsband is steeds hechter gewor-den. We moeten er allebei niet aan denken om weer een rela-tie met elkaar te beginnen, maar kunnen uitstekend met elkaar overweg."

„Ik vind het een nogal vreemde situatie," bekende Franka.

„Ik kan me niet voorstellen dat ik bevriend kan zijn met Freek, stel dat wij uit elkaar zouden gaan."

„Dat kan ook niet als het niet aan de orde is," zei Petra. „Ik kon me daar vroeger ook niets bij voorstellen. Het is iets wat groeit in de loop der tijd. Als we Romy niet hadden gehad, hadden we elkaar na de scheiding waarschijnlijk nooit meer een blik gegund. Zo werkt het echter niet als er eenmaal kinderen bij betrokken zijn. Dan blijf je je hele leven met elkaar verbonden, ook als dat kind eenmaal volwassen is."

„In jullie geval was dat toch anders. Romy is biologisch gezien niet van jullie, dus het contact had makkelijk kunnen verwateren. Niemand had het je waarschijnlijk kwalijk genomen als je de vaderrol van je af had gelegd na de scheiding," merkte Franka nadenkend op. Ze schrok van de reactie die haar woorden teweegbrachten.

„Zeg zoiets nooit meer!" viel Arjan onverwachts fel uit. Zijn ogen flikkerden en hij keek haar woest aan. Ook uit Petra's blik was alle vriendelijkheid verdwenen. „Romy is mijn kind, ook al bestaat er geen bloedband! Ik ben haar vader en er is niets of niemand die daar iets aan kan veranderen. Dat soort praatjes hou je maar voor je, wij zijn er niet van gediend."

„Zo bedoelde ik het niet," zei Franka geschrokken. Ze keek hulpeloos naar Freek, maar hij maakte geen aanstalten om haar te helpen. Ook hij keek niet vriendelijk. „Het was juist een compliment. Ik vind het fantastisch dat jullie zo goed met elkaar om zijn blijven gaan en Romy nooit als wapen tegen elkaar hebben gebruikt, dat wilde ik ermee zeggen. Juist omdat Romy geadopteerd is. Ik bedoelde ermee te zeggen dat ik jullie geweldige ouders vind. Menige vader, die wel een bloedband met zijn kind heeft, laat het er na een scheiding makkelijk bij zitten, terwijl de moeder dat wel best vindt."

„In dat geval spijt het me dat ik zo uitviel," zei Arjan alweer gekalmeerd. „Dit soort opmerkingen liggen erg gevoelig bij ons. Sommige mensen gaan er van uit dat een geadopteerd kind nooit eigen kan worden, maar zo is het absoluut niet. Ik kan me tenminste niet voorstellen dat ik van een eigen kind meer zal houden."

„Maar je hebt geen vergelijkingsmateriaal, dus eigenlijk kan je dat niet weten," waagde Franka het toch om te zeggen. „Begrijp me nu alsjeblieft weer niet verkeerd, dit is gewoon een constatering."

„Dat weet ik wel," zei Arjan echter.

„Laten we erover ophouden," verzocht Petra. „Jullie hebben nog niet gezegd wat jullie willen drinken."

„Ik spreek dit liever meteen goed uit. Franka, jij bent de biologische moeder van Romy en dat feit respecteren we. Je hebt echter alle rechten opgegeven op het moment dat je afstand van haar deed. We veroordelen je daar absoluut niet om, want we kunnen ons niet inleven in de omstandigheden waarin dit gebeurde, maar je hebt haar weggegeven aan ons en wij zijn vanaf dat moment haar ouders geworden. Niet slechts de mensen die haar verzorging op zich hebben genomen, maar echte ouders met alles wat daarbij komt kijken. In praktisch, maar zeker ook in emotioneel opzicht, met alle liefde, verantwoordelijkheid en angst die daarbij komt kijken. Voor Romy zijn we blij dat jij nu ook een rol in haar leven speelt, zoals echte ouders altijd blij zijn met alles wat hun kind gelukkig maakt. Jij hebt echter geen enkel recht om te zeggen, of zelfs maar te insinueren, dat onze gevoelens van ondergeschikt belang zijn. Wij houden van Romy, we willen het beste voor haar en we zullen er altijd voor haar zijn, ook al is ze dan niet uit onze lichamen geboren." Arjan sprak kalm, maar resoluut en Franka sloeg beschaamd haar ogen neer.

„Het spijt me," mompelde ze.

„Mooi, dan zijn we het daarover eens. Petra, ik graag een pilsje," zei Arjan alsof er niets voorgevallen was.

Petra haastte zich naar de keuken om voor iedereen iets in te schenken. Ze was trots op Arjan, omdat hij alles wat haar ook bezighield zo kalm en waardig naar voren had gebracht, toch voelde ze ook medelijden met Franka. Ze had er zo verloren uitgezien tijdens zijn tirade. Het moest voor haar toch heel moeilijk zijn om te beseffen dat ze niet de eerste plaats innam in het leven van haar eigen dochter, maar dat er twee mensen waren die die plek in de loop der jaren verdiend hadden. Dat moest heel wrang zijn. Franka wilde niets liever dan die ruim twintig jaar inhalen en ze besefte niet dat dat niet mogelijk was. Ze kon met Romy van dit punt af iets opbouwen, maar ze kon de afgelopen jaren niet uitwissen alsof ze niet bestaan hadden. Petra bezat een groot inlevingsvermogen en ze begreep waar Franka mee worstelde. Ze deed dan ook haar best om haar de rest van de avond zoveel mogelijk bij de conversatie te betrekken, hoewel Franka zich met een bleek gezicht afzijdig hield.

„Romy wordt over twee maanden eenentwintig, we zijn van plan om dan een leuk feest te organiseren. Heb je zin om mee te helpen bij de voorbereidingen?" stelde Petra voor.

Franka leefde meteen op. „Graag," antwoordde ze gretig.

„Hier thuis of ergens op een locatie?"

„We dachten aan een zaaltje. Het is de bedoeling om iedereen die in die eenentwintig jaar iets voor haar betekend heeft uit te nodigen, dus dat loopt behoorlijk op. Een zaaltje huren is dan het makkelijkste. Natuurlijk horen jullie er nu ook bij, plus eventuele familieleden van jullie."

„Ik heb alleen nog een zus. Freek heeft wel enkele familieleden, maar daar hebben we geen contact mee," vertelde Franka nu onbevangen. „Wel heb ik een heel goede vriendin, Laura, die ik al mijn hele leven ken en die van alles op de hoogte is. Haar zou ik graag uit willen nodigen op die avond."

„Ze is welkom," zei Petra eenvoudig. „We gaan er echt iets leuks van maken, met een bandje erbij en zo. Het moet een gedenkwaardige avond worden voor Romy. De afsluiting van haar jeugd en het begin van haar volwassen leven." Ze lachte even. „Arjan en ik hadden dit plan al bij haar eerste verjaardag. Toen zeiden we al tegen elkaar dat we haar eenentwintigste verjaardag groots zouden vieren. Alleen leek het toen nog eindeloos ver weg. De jaren zijn echt voorbij gevlogen."

Ze staarde even weemoedig in de verte, iets wat Franka met jaloezie bezag. Voor jou wel, dacht ze onredelijk bij zichzelf. Petra kon de herinneringen koesteren aan eenentwintig jaar met Romy. Maar van nu af aan was het haar beurt, dacht Franka bij zichzelf. Petra en Arjan hadden hun beurt gehad, het werd tijd dat zij een stapje terug deden en haar vooraan lieten staan.

Vlak daarna stond ze op om naar huis te gaan. „We bellen elkaar om af te spreken voor Romy's verjaardag, hè?" zei ze enthousiast tegen Petra. „Ik barst al van de plannen."

„Misschien was het toch niet zo'n goed idee om haar bij die verjaardag te betrekken," zei Petra later tegen Arjan, toen ze samen de kamer opruimden. „Ik heb het idee dat ze die avond helemaal naar zichzelf toe wil trekken."

„Het zal wel meevallen," vermoedde hij luchtig. „En trouwens, wat dan nog? Laat haar die lol. Ze is aan het vechten voor een plekje in Romy's leven, die kans moeten we haar geven. Zolang ze maar niet gaat lopen stoken of over ons heen walst."

Petra schoot in de lach. „Dat heb je anders goed duidelijk gemaakt," grinnikte ze.

„Dat was even nodig." Arjan tikte met een vaderlijk gebaar tegen Petra's wang. „Jij hebt je overigens kranig gedragen vanavond. Je moet je toch wel bedreigd hebben gevoeld, maar daar was niets van te merken. Ik heb alle bewondering voor de manier waarop je Franka tegemoet getreden bent."

„Ik heb medelijden met haar," bekende Petra peinzend. „Ze doet zo wanhopig haar best dat ze Romy juist van zich afstoot."

„Wat vind jij trouwens van ze?"

„Ik weet niet goed wat ik ervan moet denken. Freek kwam direct over als een heel sympathieke, rustige man, iemand die andere mensen open en eerlijk tegemoet treedt. Maar hij is Romy's biologische vader niet, dus ik kan hem objectief beoordelen. Van Franka kan ik dat niet, het zou niet eerlijk zijn om ronduit te zeggen wat ik van haar vind."

„Dan weet ik genoeg." Arjan grinnikte. „Ik ken je nog steeds door en door, Peetje. Ik moet zeggen dat ik haar best aardig vind, alles in aanmerking genomen. Geef het tijd, dan komt het allemaal heus wel goed."

Laten we het hopen, dacht Petra terwijl ze Arjan even later uitzwaaide voor ze de deur op het nachtslot deed. Zij had er nogal gemengde gevoelens over. Ze was niet van plan om met Franka de strijd om Romy's liefde aan te gaan, toch voelde ze zich daar bijna wel toe gedwongen. In ieder geval was deze eerste avond geen onverdeeld succes geworden.

HOOFDSTUK 8

„Je lijkt wel niet goed wijs." Afkeurend keek Maaike naar de cadeautjes die Franka aan het inpakken was.

„Ik vind het leuk," verdedigde Franka zichzelf. „Romy wordt eenentwintig, dus krijgt ze eenentwintig cadeautjes van me. Eén voor ieder jaar dat we samen gemist hebben."

„Je wordt een sentimentele oude zeur. Je doet nou net of jij en Romy uit elkaar gehaald zijn, met alle hartverscheurende taferelen van dien. Je hebt haar zelf afgestaan en bij mijn weten heb je daarna nooit meer een seconde aan haar gedacht."

„Dat klinkt wel heel erg cru," zei Franka, niet erg op haar gemak. Strikt genomen had haar zus gelijk, wist ze. Twintig jaar lang had Romy niet voor haar geleefd, op een enkele gedachteflits na. Als ze huilde om alles wat ze verloren had, hadden haar tranen meer betrekking op de desillusie van haar liefde dan op haar baby. Ze kon huilen om alles wat van haar afgenomen was, haar onschuld en haar jeugd. Anderen dachten dan vaak dat ze huilde vanwege het gemis van haar kindje, zelf wist ze echter wel beter.

Maar nu lagen de zaken anders. Nu ze opnieuw zwanger was en bovendien Romy teruggevonden had, had ze spijt van alle voorbije jaren. Het waren jaren die ze niet meer over kon doen, maar ze kon wel zoveel mogelijk goedmaken. Het drong niet tot haar door dat er wat Romy betrof niets goed te maken viel. Omdat Arjan en Petra nooit geheimzinnig hadden gedaan over het feit dat ze geadopteerd was, kwam het ook niet als een schok voor haar. Ze had nooit beter geweten en het geaccepteerd als een vaststaand feit. Ze vroeg zich nooit af hoe haar leven verlopen zou zijn als haar biologische moeder haar had opgevoed en ze voelde geen enkel gemis als ze terugdacht aan haar jeugd. Franka kon dat niet bevatten. Volgens haar hield Romy zich groot, maar treurde ze net zo goed als zij om alles wat voorbij was en nooit meer terugkwam. Ze stortte haar liefde uit over Romy om het twintig jaar durende gemis te compenseren, zonder

78

zich te realiseren dat Romy daar helemaal geen behoefte aan had.

„Je praat dat kind een gemis aan," merkte Maaike misprijzend op. „Ze heeft het al die jaren prima zonder jou gesteld en ze is nooit iets tekortgekomen. Ook geen moederliefde, al maak jij jezelf dat graag wijs. Je moet niet zo overdreven doen. Geef dat kind een envelop met geld voor haar verjaardag of een lekker luchtje of zo, maar zadel haar niet op met zoveel geschenken dat ze zich er ongemakkelijk onder gaat voelen en gaat denken dat ze verplichtingen tegenover jou heeft."

„Je weet niet waar je over praat." Franka ging ondertussen onverstoorbaar verder met het inpakken van make-upspulletjes, boeken, cd's en alle andere artikelen die voor haar uitgespreid op tafel lagen. „Ik kan wel merken dat jij geen kinderen hebt."

„Jij eigenlijk ook niet," sloeg Maaike hard terug. Een felle pijnscheut trok door haar lichaam bij deze harde woorden. „Je hebt dan ooit wel een kind gebaard, maar dat maakt een mens niet automatisch moeder. Dat is een titel die je moet verdienen en die jij hebt verspeeld."

„Integendeel, dat is een titel die ik nu aan het veroveren ben," glimlachte Franka, niet in het minst uit het veld geslagen.

„Ten koste van Romy en de twee mensen die zich met recht haar ouders mogen noemen," merkte Maaike spits op.

„Dat is onzin. Romy wilde zelf graag haar achtergrond leren kennen en Petra en Arjan zijn het daar trouwens volkomen mee eens. Die hebben helemaal geen moeite met deze situatie."

„Denk jij. Enfin, als ze er nu nog geen moeite mee hebben, komt dat vanzelf wel als ze merken hoe gefixeerd jij op dat kind bent. Je bent echt ongezond bezig." Maaike stond op en trok haar jas aan. „Ik ga. Wanneer is dat feestje ook alweer?"

„Volgende week zaterdag. Denk erom dat je er op tijd bent, in ieder geval voor acht uur," waarschuwde Franka. „Romy weet namelijk nergens van af, het wordt een verrassing voor haar, dus iedereen moet binnen zijn voordat zij arriveert."

„Ik zie wel. Nou, tot volgende week dan maar."

Franka groette haar zus afwezig terug en richtte haar aandacht opnieuw op de vele geschenken. Met liefde pakte ze alles stuk voor stuk apart in, compleet met krullintjes en strikjes. Het was een enorm karwei, maar ze had het graag voor Romy over. Ze verheugde zich nu al op het moment van uitpakken. Romy zou er dolblij mee zijn. Uit ieder zorgvuldig ingepakt cadeautje sprak de liefde die Franka voor haar voelde, dat kon Romy nooit onberoerd laten. Maaike had het bij het verkeerde eind met haar boute opmerkingen. Ze verstikte Romy niet, ze gaf haar alleen de liefde die ze twintig jaar lang had moeten ontberen. Maar ze kon Maaike ook niet helemaal serieus nemen. Met wat zij meegemaakt had op dat gebied, was het waarschijnlijk niet vreemd dat ze zich niet in kon leven in wat anderen voelden. Maaike was verbitterd door het leven en jaloers op iedereen die wel had wat haar ontnomen was.

Met deze gedachten duwde Franka de twijfels, die toch boven kwamen drijven na Maaikes woorden, ver weg. Ze hield zichzelf voor dat ze niets verkeerds deed. Ze was gewoon een moeder die een bijzonder feestje aan het plannen was voor de eenentwintigste verjaardag van haar dochter. Iedere normale moeder deed dat, dus zij ook. Dat Petra nog maar amper kans had om iets te organiseren omdat zij, Franka, alles zelf naar zich toe trok, kwam niet in haar hoofd op. Ook Freeks pogingen om Franka te doen beseffen dat ze zich beter wat op de achtergrond kon houden, leverden niets op.

„Wat zeurt iedereen toch," zei ze geïrriteerd toen hij die avond opmerkte dat ze wel erg ver ging. „Eerst Maaike, nu jij weer. Petra was al beledigd omdat ik een band heb geboekt zonder met haar te overleggen. Het lijkt wel of ik niets goed kan doen."

„Dat doe je toch niet, Petra opzijschuiven!" viel Freek uit. „Geen wonder dat ze kwaad is. Hou je er even rekening mee dat dit het feestje voor haar dochter is?"

„Voor de mijne ook," zei Franka kalm.

„Dat geeft je niet het recht om Petra op een zijspoor te zetten. Integendeel, wees dankbaar voor alles wat ze voor Romy hebben gedaan en neem zelf genoegen met een plekje aan de zijlijn. Romy bestaat, ze is niet kwaad op je omdat je haar hebt afgestaan en ze gunt je een plek in haar leven. Is dat niet genoeg? Is het werkelijk je bedoeling jezelf op de eerste plaats te dringen, met voorbijzien van alle andere mensen?"

„Je begrijpt er niets van." Franka streek vermoeid een haarlok van haar hoofd. Ze had een enorm drukke dag gehad en in plaats van lekker uit te kunnen blazen, had ze dat gezeur aan haar hoofd, dacht ze nijdig. Wilden de mensen haar nu echt niet begrijpen? „Geen mens kan invoelen hoe het is als je je eigen kind na twintig jaar terugziet en eindelijk in je armen kan sluiten. Dat is zo veelomvattend, niets anders is meer belangrijk. Datzelfde kind wordt nu eenentwintig jaar en door middel van een mooi feest kan ik haar bewijzen dat ik van haar hou. Dat ik er voor haar ben, ook al heeft ze in naam dan een andere moeder. Petra en Arjan hebben alle hoogtepunten uit haar leven meegemaakt, nu kan ik, voor het eerst, ook eens iets doen. Is het dan werkelijk zo vreemd dat ik alles uit de kast haal om er een geslaagd feest van te maken? En is het voor anderen nu echt zo erg om ook eens een stapje terug te doen en mij die kans te gunnen?"

„Als je twintig jaar lang verteerd was geweest door verlangens en spijtgevoelens had iedereen het misschien beter begrepen," zei Freek hatelijk.

Franka haalde haar schouders op en reageerde hier niet op. Wat had ze ook kunnen zeggen? Ze had helemaal geen zin om zichzelf constant te moeten verdedigen. Het interesseerde haar eigenlijk ook niet wat anderen ervan dachten. In haar hoofd was maar plaats voor één persoon: Romy. Ze had nooit geweten dat de liefde voor een kind zo veelomvattend kon zijn en zo'n enorme impact op een mens kon hebben. Vierentwintig uur per dag zat ze in haar gedachten en haar hart. Zelfs de baby, die zich steeds meer liet gelden door middel van kleine schopjes in haar lichaam, kwam op een verre tweede plek.

Franka trok zich dan ook niets aan van alle kritiek en stortte zich volledig op de organisatie van het feest. Ze had een zaal gehuurd, een band besproken en zelf de uitnodigingen gemaakt. Het was zo geregeld dat alle gasten tussen half acht en kwart voor acht zouden arriveren en dat Romy om acht uur binnenkwam. Samen met Heidi, die haar wijs had gemaakt dat een oom en tante van haar vijfentwintig jaar getrouwd waren en dat ze geen zin had om alleen naar dat feest te gaan. Bij Romy was je voor zoiets nooit aan het verkeerde adres, die beloofde onmiddellijk om met haar mee te gaan. Omdat het feest op zaterdag werd gegeven en haar eigenlijke verjaardag twee dagen later op een maandag viel, koesterde ze geen argwaan.

Die bewuste zaterdag had ze eigenlijk helemaal geen zin in een feestje. Ze realiseerde zich ineens dat Heidi's neef Timo er waarschijnlijk ook zou zijn en ze had die avond bij Heidi thuis niet bepaald een gunstige indruk van hem gekregen. Met een beetje pech kwam hij de hele avond bij hen zitten.

„Ik denk dat ik Heidi maar afbel, ik heb helemaal geen zin," zei ze tegen haar moeder.

Petra, die zich net stond aan te kleden voor het zogenaamde personeelsfeestje van haar werk, schrok. „Dat kan je niet maken, hoor," reageerde ze vreemd fel.

Romy trok haar wenkbrauwen hoog op. „Waar maak jij je zo druk om? Ik ben bijna eenentwintig hoor, dus ik mag alleen thuisblijven. Je hoeft niet bang te zijn dat je eigen feestje in het water valt omdat je voor mij moet zorgen."

„Gek kind. Maar ik meen het, Romy, zo op het laatste moment kun je echt niet meer afbellen. Heidi zal het je beslist niet in dank afnemen."

„Ze kan toch met die stomme Timo gaan? Het schoot me net te binnen dat hij er ook wel zal zijn en ik mag die knul niet."

„Er zullen ongetwijfeld meer mensen aanwezig zijn die je niet mag, maar dat is geen reden om thuis te blijven," zei Petra met de moed der wanhoop.

„Ach ja, je hebt gelijk. Ik ga wel," zei Romy slachtofferig. Plotseling pakte ze Petra om haar middel beet en maakte een rondedansje met haar. „Ik zeur, ik weet het. Dat is de ouderdom, let er maar niet op. Je ziet er trouwens prachtig uit, mam. Komt er soms een speciale man op dat feest van je werk?"

„Een mens weet nooit wie hij tegenkomt. Nou, kom op, ga je aankleden. Straks staat Heidi voor de deur," spoorde Petra haar aan. Ze keek haar dochter hoofdschuddend na. Gelukkig. Hoewel het niets voor Romy was om een afspraak plotseling af te zeggen, was Petra toch even bang geweest dat hun plannetje in duigen zou vallen. Over verrassingen gesproken! Grinnikend trok Petra haar panty aan. Het zou wat zijn als ze daar met zijn allen in dat zaaltje zaten te wachten op een feestvarken dat niet op kwam dagen. Die Timo waar Romy het net over had, was er trouwens ook, uitgenodigd door Heidi die er vast van overtuigd was dat Romy hem wel zag zitten. Maar ach, er kwamen ongeveer zestig mensen, dus Romy kon hem makkelijk ontlopen, stelde Petra zichzelf gerust.

Toen zij om kwart over zeven bij het zaaltje aankwam waren Franka en Freek al aanwezig. Franka liep druk te overleggen met de beheerder van de zaal en hield tegelijkertijd haar ogen gericht op de leden van de band, die hun spullen aan het uitladen waren. Ze begroette Petra enthousiast.

„Fijn dat je er bent. Ik ben blij dat het zover is, want het kostte me best moeite om mijn mond te houden tegen Romy. Ga lekker zitten, dan vraag ik of ze koffie komen brengen."

„Kan ik nog iets doen?" informeerde Petra. Het sarcasme in haar stem ontging Franka volledig.

„Nee, ik heb alles onder controle. Met Heidi heb ik afgesproken dat ze mijn mobiel twee keer laat overgaan als ze hier de straat inkomen, de band begint dan 'lang zal ze leven' te spelen zodra ze arriveren. Ik heb trouwens net geregeld dat er om half elf porties saté met brood worden geserveerd, in plaats van alleen kaas, worst en toastjes. Een hartige hap gaat er altijd wel in op zo'n avond. O kijk, daar is Arjan.

Arjan, kom hier zitten," wenkte Franka. „Ik ga koffie regelen voor ons."

Petra ving de blik van Freek op en hield zich manmoedig in. Zij was slechts toeschouwer op het feest van haar dochter, besefte ze. Franka had de regie volledig overgenomen. Het was een situatie die haar absoluut niet beviel, maar ter wille van Romy zei ze er niets van. Als ze nu haar mond opendeed zou het ongetwijfeld uitdraaien op een fikse ruzie en dan was de avond verpest, dat wilde ze niet op haar geweten hebben.

Franka kwam naar het tafeltje toelopen en ging bij ze zitten. Het beeld van hen vieren trof haar ineens diep. Twee ouderparen, wachtend op hun dochter. Maar van hen vieren was zij de enige die een bloedband met Romy had. Die gedachte stemde haar trots.

Langzaam druppelden de genodigden binnen. Als een veldheer die haar troepen overzag, liep Franka rond in het zaaltje om iedereen te begroeten en een plek te wijzen. „Denk erom, het is de bedoeling dat iedereen stil is op het moment dat Romy binnenkomt," zei ze talloze keren.

„Ze is in haar element, hè?" merkte Petra bitter op.

„Het spijt me," zei Freek. „Ik heb verschillende keren geprobeerd met haar te praten, maar ze was niet voor rede vatbaar. Eigenlijk hoort dit jullie avond te zijn, van jou en Arjan. Dit is de bekroning van eenentwintig jaar zorg en opvoeding."

„Ze organiseert het anders uitstekend," zei Arjan geamuseerd. Zijn ogen volgden het lange, slanke figuurtje met de blonde haren en de grijze ogen. „Het enige wat wij hoeven doen is lekker lui onderuit zitten en genieten van de koffie. Dat heeft ook zijn voordelen."

„Dat is je luie inslag die je zo doet praten," verweet Petra hem lachend. „Wat zit er trouwens in dat enorme cadeau daar?"

„Eenentwintig cadeautjes in een reusachtige mand," bekende Freek.

„Echt waar? Daar moet ze enorm veel werk aan gehad hebben," sprak Arjan waarderend.

Petra beet op haar lip om haar commentaar voor zich te houden. „Als Romy maar een leuke avond heeft, dan vind ik alles best," zei ze alleen. „Het draait tenslotte om haar, niet om degene die het organiseert."

Ze sprak op kalme toon, maar Freek hoorde heel goed de pijn in haar stem. Hij knikte haar hartelijk toe. Petra's houding dwong bewondering bij hem af. Ze bleef altijd rustig en waardig. Ze had stijl, dacht hij.

Van haar gleden zijn ogen naar Franka, die inmiddels plaats had genomen voor de microfoon en nog eens ten overvloede aan alle aanwezigen uitlegde wat precies de bedoeling was. Alsof het een stel kleuters betrof, dacht hij geërgerd. Op dat moment had hij geen goed woord voor zijn vrouw over. De bolling van haar lichaam onder de blauwe jurk die ze droeg, belette hem echter zijn leven in eigen hand te nemen. Sinds hij wist dat het onmogelijk was, had hij regelmatig spijt dat hij niet veel eerder bij Franka weggegaan was. Hoe blij hij ook was dat hij vader werd, zijn kind betekende wel dat zijn leven vastlag. De grote liefde waar hij over droomde, zou zijn pad nooit meer kruisen. Hij zou oud worden naast Franka, een beeld dat hem wel eens schrik aanjoeg. Nu hij in Petra's groene ogen keek, was die gedachte helemaal angstaanjagend.

Franka merkte niets van de onderhuidse spanningen. Opgewekt liep ze door de zaal en charmant maakte ze kennis met iedereen aan wie ze nog niet eerder voorgesteld was. Ze voelde zich echt in haar element nu. Organiseren was altijd al iets geweest wat ze graag deed en in dit geval telde dat dubbel. Een feest organiseren voor de eenentwintigste verjaardag van haar dochter, wie had dat een halfjaar geleden kunnen bedenken? Zij niet in ieder geval. Een halfjaar geleden stond Romy nog mijlenver van haar af. Terwijl nu… Het werd haar warm om het hart. Romy was terug en ze was in verwachting, mooier kon het niet. Ze werd zowaar een echte moederkloek! Stiekem droomde ze ervan dat Romy haar intrek bij haar en Freek zou nemen, zodat ze straks met zijn vieren een echt gezin zouden vormen. Ze begreep echter

85

dat ze haar dochter niet zonder meer met die plannen kon overvallen, dat moest ze langzaam opbouwen. Freek wist hier overigens nog niets van af. Wat zijn mening daarover was nam niet zo'n heel grote plaats in Franka's hoofd in. Romy was háár dochter, niet de zijne. Hij moest er maar begrip voor hebben. Zo walste Franka verder, als een niets-ontziende tank. De onverwachte en hevige liefde voor haar dochter maakte haar blind voor de gevoelens van anderen. Ze merkte niet dat Petra daardoor een hekel aan haar begon te krijgen, dat Freek erzin berustte en dat Arjan haar bewonderde omdat ze er zo volledig voor ging. Het enige wat Franka nog interesseerde, was Romy.

Ze schrok op toen de mobiele telefoon in haar hand begon te rinkelen. „Daar komt ze! Iedereen stil nu!" beval ze. Zelf bleef ze bij de deur staan, zodat zij de eerste was die Romy zou zien als ze binnenkwam. Zodra die deur openging gaf Franka een teken aan de band, die luid 'lang zal ze leven' begon te spelen.

Met grote ogen keek Romy haar aan, daarna gleden haar ogen door de zaal, waar talloze verwachtingsvolle en lachende gezichten naar haar opgeheven waren.

„Verrassing!" riep Franka stralend.

HOOFDSTUK 9

„Maar... Maar... Wat is dit?" Niet-begrijpend keek Romy om zich heen naar de vele vertrouwde en de enkele onbekende gezichten.

„Gefeliciteerd, dochter." Franka omhelsde haar en gaf haar drie dikke zoenen. „Dit is een verrassingsfeestje voor je een-entwintigste verjaardag. Vind je het niet enig?"

„En die bruiloft dan?" Het drong nog steeds niet helemaal tot Romy door.

„Sorry, ik heb gelogen," grinnikte Heidi.

„Dus dit is...? Wat leuk!" Romy's ogen begonnen te stralen nu ze het goed besefte. „O, wat heerlijk! Eerlijk gezegd had ik totaal geen zin in zo'n suffe vijfentwintigjarige bruiloft, maar dit is geweldig. Wiens idee was dit?"

„Van mij," antwoordde Franka zelfverzekerd. Ze ving de verbaasde blik van Heidi op en had de betamelijkheid om te blozen. „En van je ouders natuurlijk," voegde ze er snel aan toe. „Maar ik heb het leeuwenaandeel van de organisatie op me genomen. Ga maar snel naar je gasten, iedereen staat te springen om je te feliciteren." Ze deed een stap opzij om Romy door te laten en tot haar grote ongenoegen zag ze dat die direct naar Petra en Arjan toeliep.

„Wat ontzettend leuk en wat lief bedacht!" riep ze halverwege de zaal al. Haar ogen straalden. „Dank jullie wel." Ze vatte allebei haar ouders in één omhelzing.

„Graag gedaan, lieve schat. Geniet maar van je feest," fluisterde Petra ontroerd.

Freek zag de gelukkige trek op haar gezicht en knipoogde veelbetekenend naar haar. Hij gunde haar oprecht het genoegen dat Romy zich niet door Franka in liet pakken, maar meteen aan haar ouders dacht. Zo hoorde het ook, dacht hij tevreden. Hij en Franka hoorden hier niet de boventoon te voeren.

Het kwartier daarna verdween Romy van het ene paar armen in het andere. Ze was daar nog maar net van bekomen toen Franka haar alweer in beslag nam.

„Ik wil je graag voorstellen aan mijn zus en mijn beste vriendin," zei ze. „Je hebt ze nog niet ontmoet, maar ze zijn hier ook om jouw grote avond te vieren." Ze troonde Romy mee naar het tafeltje waar Maaike en Laura aan zaten en stelde ze aan elkaar voor.

„Dus jij bent Romy," zei Laura direct hartelijk. „Nou meid, welkom bij de clan, hoor. Ik zal vanavond een borrel op je gezondheid drinken."

„Jou kennende wel meer dan een ook," zei Maaike met een ontevreden gezicht.

„Meid, geniet toch eens van het leven," zei Laura onbekommerd met een knipoog naar Romy. Die schoot in de lach. Die Laura leek haar wel een leuk mens, in tegenstelling tot de zuur kijkende Maaike. Wat een verschil, die twee vrouwen. Ze waren van dezelfde leeftijd en woonden allebei alleen, maar daarmee hield iedere overeenkomst ook op, dat had Romy meteen al door. Enfin, ze was allang blij dat ze haar niet direct vroegen hoe ze het vond dat ze haar biologische moeder gevonden had. Die vraag was haar in de afgelopen weken zo vaak gesteld dat ze er helemaal gek van werd.

„Jij kent het grootste deel van de mensen hier natuurlijk niet," realiseerde ze zich terwijl ze zich tot Franka wendde. Franka lachte zelfverzekerd. „Maak je daar maar niet druk om. Een aantal van je gasten heb ik al aan de telefoon gehad om wat voorbereidingen mee te bespreken en met de rest heb ik aan het begin van de avond kennisgemaakt. Ik heb maar even voor gastvrouw gespeeld tot jij zou komen."

De band speelde intussen onverstoorbaar door en de zanger riep de mensen nu op om de dansvloer te betreden.

„Ga lekker dansen," spoorde Franka Romy aan. „Ik heb best wel een paar leuke jongemannen gezien hier. Hij bijvoorbeeld." Ze wees naar een lange, magere jongen die net een flesje bier van de serveerster in ontvangst nam. Hoe heet hij ook alweer? Tim?"

„Timo," zei Romy met afgrijzen in haar stem. „Wat doet hij hier in vredesnaam?"

„Heidi heeft hem uitgenodigd."

„Ik had het kunnen weten." Romy zuchtte. „Die probeert me werkelijk aan iedere loslopende man te koppelen. Het lijkt wel of ze bang is dat ik een oude vrijster word."

„Je bent ook al eenentwintig," plaagde Franka. „Maar wat is er mis met hem? Hij ziet er niet slecht uit. Een beetje te mager misschien."

„Zeg, hou op," verzocht Romy kortaf. Ze had er helemaal geen behoefte aan om haar liefdesleven of haar voorkeur voor de een of andere man met haar biologische moeder te bespreken. Dat deed ze liever als ze met haar vriendinnen onder elkaar was. „Ik ben prima in staat om zelf te bepalen wie ik wel of niet leuk vind en Timo hoort tot die laatste categorie."

Helaas voor haar kwam hij nu op haar toelopen.

„Dansen?" vroeg hij nonchalant.

Romy kon hem niet botweg weigeren zonder onbeleefd te zijn, dus liep ze met een gezicht als een donderwolk achter hem aan. Het bleek mee te vallen. Timo danste goed en hij wist haar aan het lachen te krijgen door een paar grappige opmerkingen, die het ijs tussen hen brak.

„Leuk idee, zo'n feest," zei hij waarderend toen ze later de dansvloer verlieten en alsof het afgesproken was gezamenlijk naar de bar liepen om iets te drinken te halen.

„Vind je?" Romy keek naar hem op. Hij was zo'n stuk langer dan zij dat ze echt omhoog moest kijken. „Dit lijkt me nou echt helemaal niets voor jou. Ik vind jou niet iemand voor een gezapig feestje in een zaal, met een band en misschien ook nog wel een polonaise later op de avond."

Timo schoot in de lach. „Nou moet je het me inderdaad niet tegen maken. Een polonaise! Maar even serieus, ik hou hier op zich inderdaad niet zo van, ik had het over het idee erachter. Een feest, georganiseerd door je biologische moeder, omdat je eenentwintig wordt en zij die jaren gemist heeft. Ze vertelde het me net. Ze wilde dit per se doen om je het volwassen leven in te laten gaan met je moeder aan je zijde. Het klonk wel grappig."

„Nou, ik ben anders allang volwassen," reageerde Romy nijdig. Waar haalde Franka die sentimentele onzin vandaan? Deze avond was een erg lief idee van haar, maar ze moest het niet overdrijven. Romy hield sowieso al niet van die hoogdravende bewoordingen. Met een glas in haar handen slenterde ze over de dansvloer naar een tafel waar wat oude schoolvrienden aan zaten. Ze was echter nog maar net met ze in gesprek of Franka liep naar de band toe en nam de microfoon van de zanger over. Romy zag dat er een heel groot cadeau naast haar op de grond stond en nieuwsgierig vroeg ze zich af wat dat kon zijn.

„Mag ik even ieders aandacht?" klonk Franka's heldere stem hard door de zaal. Op slag werd het stil en iedereen keek verwachtingsvol naar het podium. „Romy, wil jij naar voren komen?" Applaus klonk op toen Romy over de nu lege vloer naar Franka toeliep. Franka sloeg direct een arm om haar schouders. „Lieve schat, ten eerste natuurlijk heel hartelijk gefeliciteerd met je eenentwintigste verjaardag. Ik wil er graag iets over zeggen. Zoals iedereen inmiddels weet, ben ik Romy's biologische moeder, de vrouw die haar heeft gebaard en vervolgens heeft afgestaan. Met pijn in mijn hart, kan ik wel zeggen." Franka stopte heel even met praten om iedereen de gelegenheid te geven die woorden diep op zich in te laten werken. „Nu ze eenmaal volwassen is, kon ik haar gelukkig opsporen en de dag dat ze mijn oproep beantwoordde, was de gelukkigste uit mijn leven. Eindelijk zijn wij herenigd en niemand kan beseffen wat het voor mij betekent dat ik deze verjaardag van mijn dochter mee mag vieren. Twintig jaar lang heb ik op deze dag met lege handen en een leeg hart gestaan. In gedachten kocht ik dan een cadeautje voor haar en versierde ik de kamer met slingers." Franka kreeg zowaar tranen in haar ogen en Freek moest zich bedwingen om die microfoon niet van haar af te pakken. Hij ergerde zich kapot aan dit toneelspel. Wat was Franka's bedoeling hiermee? De sympathie wekken van de mensen uit de zaal? Dat leek aardig te lukken, want iedereen zat geboeid te luisteren en af en toe klonk er een meelevend 'ahhh' uit haar publiek. Hij zag echter ook dat Romy zich vreselijk opgelaten voelde op dat podium voor al die starende ogen en hij begreep niet dat Franka dat niet zag. Zat ze zo in haar rol dat Romy's gevoelens niet telden? Daar mocht ze dan toch eerst wel eens aan werken voor ze zichzelf uitriep tot moeder van het jaar, dacht Freek spottend. Hij wendde zijn blik af van het podium en ontmoette die van Petra. Haar groene ogen waren strak op hem gericht.

„Sorry," mompelde hij met een handgebaar naar Franka en Romy.

„Dit is jouw schuld niet," verklaarde Petra kalm.

„Zo voelt het anders wel." Freek zuchtte diep. „Ik zou toch de aangewezen persoon moeten zijn om haar van dit soort dingen te weerhouden."

„Je kunt moeilijk dat podium opstormen en die microfoon uit haar handen rukken." Ondanks alles kwam Petra's gevoel voor humor boven en ze grinnikte bij het idee.

„Dat was ik eigenlijk wel even van plan," bekende Freek deemoedig. Ze schoten samen in de lach toen ze zich voorstelden hoe dat over zou komen.

„Ssst," deed Arjan geïrriteerd. „Ik zit te luisteren."

„Naar deze onzin?" Ze keek hem ongelovig aan. „Ga me niet vertellen dat je dit ook nog gelooft. Wij weten toch wel beter. Franka heeft eerlijk verteld hoe ze zich al die jaren gevoeld heeft. Niet dat ik haar dat kwalijk neem, maar het is toch wel duidelijk dat ze nu alleen maar bezig is om op Romy's gevoel te werken."

„Met een averechts effect," vulde Freek aan. „Ze vindt het vreselijk."

„Ik vind het knap," beweerde Arjan echter. „Franka vecht als een leeuw voor de liefde van haar dochter. Misschien niet op de juiste manier, maar er is niemand die haar tegen kan houden. Ze doet alles om Romy aan zich te binden."

„En dat stoort jou niet?" wilde Petra weten. Zelf had ze inmiddels de neiging om haar handen om Franka's keel te leggen en goed hard te knijpen.

„Nee, waarom? Romy is volwassen en verstandig genoeg om hier doorheen te kijken. Ik heb medelijden met Franka, want hoe harder zij Romy zal proberen te binden, hoe harder Romy haar best zal doen om zich los te rukken. Iemand zou haar dat moeten vertellen." Zijn ogen gleden naar Freek.

„Ik doe niet anders," verdedigde die zichzelf.

Hij kreeg de kans niet om verder nog iets te zeggen, want er brak een daverend applaus los in de zaal. Onwillekeurig keken ze alledrie naar het podium, waar Franka net de enorme mand aan Romy overhandigde, nadat ze ontroerd aan het stil luisterende publiek had uitgelegd wat de betekenis van dit cadeau was. Romy stond er schutterig naast. Ze zond een wanhopige blik naar Petra, die bemoedigend naar haar knipoogde.

„Pak maar uit, lieve dochter," zei Franka met een weids armgebaar naar de mand.

„Wat? Bedoel je... Nu?" stotterde Romy. Ontzet keek ze naar de stapel cadeaus. Ze voelde er niets voor om hier nog minstens een halfuur het ene na het andere geschenk uit te pakken terwijl alle ogen op haar gericht waren.

„Natuurlijk nu," lachte Franka echter. „Ik ben uren bezig geweest met uitzoeken en inpakken, ik ben benieuwd hoe je alles vindt. Ga je gang maar, schat."

„Uitpakken! Uitpakken!" scandeerde de zaal opgetogen.

Het was Arjan die een eind aan deze vertoning maakte. Resoluut beende hij naar het podium en met een charmante glimlach pakte hij de microfoon van Franka over.

„Franka, dank je wel voor je ontroerende toespraak en uiteraard je geschenken," zei hij beminnelijk. „Maar het lijkt me beter dat Romy alles op haar gemak thuis uitpakt, want dat gaat nu veel te lang duren. Ik denk dat iedereen ondertussen wel iets te drinken lust en de dansvloer weer onveilig wil maken. Mensen, applaus voor Franka!" Dat laatste riep hij enthousiast door de zaal en iedereen begon direct enthousiast te klappen. Als een stel goed gedresseerde aapjes, kon hij niet nalaten geamuseerd te denken. Romy zond hem een opgeluchte blik, ze haastte zich het podium af. „Zullen we dansen?" vroeg Arjan aan Franka terwijl de muziek weer inzette. Zonder op haar antwoord te wachten trok hij haar mee de dansvloer op, haar niet de kans gevend om tegen te stribbelen. Hoewel ze haar passen gewillig naar de zijne voegde, stonden haar ogen boos.

„Kijk niet zo kwaad naar me," fluisterde hij in haar oor. „Het duurde te lang en ik zag dat Romy zich niet op haar gemak voelde."

„Ze vond het leuk," beweerde Franka. „Ik trouwens ook. Het was echt een moeder-dochtermoment en dat heb jij bewust verpest. Gun je me Romy's liefde soms niet?"

„Juist wel en daarom greep ik in." Arjan bleef rustig. „Je trekt te hard aan haar, Franka. Als je dat blijft doen, zal ze gaan worstelen om los te komen. Als je Romy meer vrijheid geeft zal ze vanzelf naar je toe trekken."

„Zou je denken?" vroeg ze onzeker.

„Ik weet het zeker. Vergeet niet dat ik Romy al eenentwintig jaar ken, ik weet precies hoe ze is."

Franka zuchtte. Dat was inderdaad wat zij miste in haar omgang met Romy. Ze was voortdurend bezig de gevoelens van haar dochter af te tasten en te proberen in te schatten hoe ze in elkaar stak. Het was zo moeilijk af en toe. Ze wilde niets liever dan een hechte band met Romy opbouwen, maar dat ging zeer zeker niet vanzelf, hoewel ze er alles voor overhad.

„Laat het initiatief tot contact ook eens van haar kant komen," adviseerde Arjan.

„Ik ben bang dat ik haar dan weer kwijtraak," bekende Franka schuchter. Ze verbaasde zich er zelf over dat ze al haar onzekere gevoelens, die ze nog tegenover niemand geuit had, zomaar met deze Arjan besprak. Hij leek oprecht belangstellend en bereid haar te helpen met zijn advies, zonder haar direct te veroordelen of te beweren dat ze zeurde. Freek reageerde altijd direct korzelig en geïrriteerd, Arjan leek haar te begrijpen.

Romy had ondertussen plaatsgenomen bij Heidi. Ze had zich nog nooit zo opgelaten gevoeld en was dolblij dat Arjan haar verlost had van het podium.

„Ben je niet vreselijk nieuwsgierig naar wat er in die pakjes zit?" vroeg Heidi. „Ik zou me niet zo lang kunnen beheersen, hoor."

„Natuurlijk ben ik dat, maar ik zag het absoluut niet zitten om dat ten overstaan van iedereen te doen." Romy griezelde van het idee.

„Pak er dan tenminste eentje uit nu," drong Heidi aan. „Je kunt er trouwens een heel ritueel van maken vanavond. Na iedere dans een cadeautje of zo."

„Daar zit wat in." Giechelend bogen de vriendinnen zich over de mand heen om een pakje uit te zoeken, alsof het een grabbelton betrof.

„Kijk," wees Arjan, die het zag. „Zie je nu wat ik bedoel? Nu ze zich er niet toe gedwongen voelt begint ze er zelf mee. Zo werkt dat in de kleine, maar zeker ook in de grote dingen."

„Ik zal proberen er rekening mee te houden," beloofde Franka. Ze hield haar ogen strak op Romy gericht om haar reactie te peilen na het uitpakken van één van de cadeautjes en tot haar genoegen zag ze dat haar ogen begonnen te stralen.

Romy slaakte inderdaad een kreet van verrukking bij het zien van de oorbellen met de diamantjes die uit het pakje tevoorschijn waren gekomen. Dit was precies haar smaak. Niet te groot, niet te opvallend, maar peperduur. Ontoereikend voor haar karige salaris.

„Zo, dat is niet misselijk," zei Timo, die dichterbij geslenterd was. Hij wierp een vakkundige blik op de oorbellen en op het deksel van het doosje, waar de naam van een bekende juwelier in gegraveerd was. „Dat is geen spul wat van de drogist vandaan komt. Je hebt het geschoten hoor, met zo'n extra moeder."

„Wat bedoel je daarmee?" vroeg Romy scherp. Het had een grapje kunnen zijn, maar de klank van zijn stem was onaangenaam.

„Precies wat ik zeg. Ze zit goed in de slappe was, dat is wel duidelijk. Daar moet je gebruik van maken, meid. Ik wilde dat ik geadopteerd was, ik kan namelijk ook wel wat nieuwe spullen gebruiken." Hij lachte zelf luid om deze woorden, maar Romy keek hem met een blik van afkeer aan.

„Je zou ervoor kunnen werken," zei ze spits. Ze wist dat hij een uitkering had en dat wel best vond. Hij sleet zijn dagen met nietsdoen.

„Waarom zou ik?" zei hij monter. „Ik word prima onderhouden door de staat. Het is weliswaar geen vetpot, maar voor een paar euro verschil kom ik niet om zeven uur mijn bed uit 's ochtends."

„Je bent walgelijk!" zei Romy voor ze zich van hem afkeerde. Niet uit het veld geslagen begaf hij zich voor de zoveelste keer die avond naar de bar.

„Hoe heb je hem uit kunnen nodigen?" vroeg Romy zich af. Heidi haalde haar schouders op. „Ik dacht dat je hem wel mocht. Hij ziet er goed uit, dat moet je toegeven."

„Een mooie verpakking is ook niet alles, er moet iets inzitten. Zoals dit bijvoorbeeld." Met een verliefde blik keek ze naar haar nieuwe oorbellen.

„Vind je ze mooi?" klonk Franka's stem ineens zacht naast haar.

„Ik vind ze schitterend." Uitbundig en spontaan sloeg Romy haar armen om Franka's hals om haar een zoen te geven, een gebaar dat Franka met vreugde onderging.

Ze kon het niet nalaten om Freek een triomfantelijke blik toe te werpen. Hij had haar net nog verweten dat ze zich aangesteld had en beweerd dat ze Romy op deze manier van zich afstootte. Eigenlijk hetzelfde als wat Arjan had gezegd, maar de toon van de twee mannen verschilde nogal. Arjan begreep haar, Freek ergerde zich slechts aan haar.

Freek had echter geen oog voor Franka en Romy. Hij keek naar Petra, die geanimeerd met Maaike zat te praten. Een warm gevoel welde in hem op. Petra was een fantastische vrouw, dacht hij. Warm, gevoelig, spontaan, nuchter, meelevend en bovendien knap om te zien. Bovendien stelde ze zich heel waardig en begripvol op in de gegeven omstandigheden, die voor haar toch ook niet makkelijk moesten zijn. Ze had stijl, blaakte van zelfvertrouwen en ze had gevoel voor humor. Eigenlijk had ze alles wat hij in een vrouw wenste en wat hij vergeefs bij Franka zocht, realiseerde Freek zich met een schok. Hij probeerde zich te herinneren wat hem destijds zo in Franka aangetrokken had. Hij had tenslotte oprecht van haar gehouden toen ze trouwden. Na enig nadenken moest hij bekennen dat het vooral haar afhankelijkheid was die hem toen boeide. Dezelfde afhankelijkheid die hem nu tegenstond en waar hij zich aan ergerde. Franka had zich aan hem vastgeklampt en daardoor had hij zich gevleid gevoeld. Zij had net die ellende met Eric achter de rug, hij kwam uit een relatie waarin hij door zijn vriendin voortdurend gekleineerd werd. Franka keek hoog tegen hem op en legde zonder aarzelen haar leven in zijn handen. Bij haar voelde hij zich een echte man. In de loop der jaren had hij zich echter op diverse vlakken bewezen en had hij de bewondering van zijn vrouw niet meer nodig om zich goed te voelen. Hij had zich ontwikkeld en was volwassen geworden. In tegenstelling tot Franka, ergens in haar schuilde nog steeds dat kleine, kwetsbare meisje.

Mismoedig nam Freek een slok van zijn bier. Het waren geen gedachten die hem gelukkig stemden.

HOOFDSTUK 10

De dag na het feest stond Freek met een behoorlijke kater op.

„Gisteravond vond ik het een nadeel dat ik vanwege de zwangerschap niets mag drinken, maar nu ik jou zo zie ben ik er alleen maar blij om," zei Franka opgewekt. „Zo had ik er anders ook bij gezeten."

„Zeur niet," bromde Freek. Hij verdween de badkamer in en trok de deur met een klap achter zich dicht. Behalve van zijn kater had hij ook last van gemengde gevoelens. Franka irriteerde hem alleen nog maar, in zijn ogen kon ze niets goed meer doen. Een jaar geleden zou hij gelachen hebben om haar opmerking, nu werd hij er kwaad om. Lag dat aan Franka of aan hem?

In de spiegel keek hij zichzelf vorsend aan. Aan allebei, wist hij toen. Ergens waren ze beiden een andere weg ingeslagen. In het begin hadden die wegen nog redelijk bij elkaar in de buurt gelegen en elkaar soms zelfs gekruist, maar allengs was de ruimte ertussenin steeds breder geworden. Inmiddels was die onoverbrugbaar geworden, dacht Freek somber bij zichzelf. In zijn huidige gemoedstoestand kon hij geen enkel lichtpuntje meer ontdekken. Zevenenveertig jaar was hij nu. Met een beetje geluk werd hij tachtig, wat betekende dat hij nog drieëndertig jaar zo verder moest. Het leek een eeuwigheid.

Zonder die zwangerschap was hij niet gebleven, wist hij nu heel zeker. Hoewel, zonder die zwangerschap was er waarschijnlijk veel minder aan de hand. Juist omdat Franka in verwachting was, met alle gebeurtenissen omtrent Romy die daar een rechtstreeks gevolg van waren, was hij haar anders gaan bekijken. Zoals ze zich de laatste tijd gedroeg kende hij haar niet. Via Romy kwamen zijn gedachten als vanzelf ook bij Petra. Freek bewoog zijn schouders alsof hij iets van zich af wilde schudden en stapte de douche in. Met zijn hoofd onder de harde, hete straal probeerde hij zijn aandacht ergens anders op te richten, maar dat lukte niet. Haar smalle gezicht met de donkerbruine haren bleef maar op zijn netvlies staan. Wat was hij trots op haar geweest gisteravond. In tegenstelling tot de gevoelens die Franka bij hem opgeroepen had. Ze had zich zo waardig gedragen.

„Freek, kom je ontbijten?" riep Franka door de dichte deur. Hij kon een gevoel van walging niet onderdrukken en wist zelf niet of dat door de gedachte aan eten kwam of door zijn vrouw. Zwijgend zat hij even later aan de ontbijttafel, waar hij zich beperkte tot een kopje thee en een droge cracker. Franka leek niets van zijn stemming te merken en praatte er vrolijk op los.

„Het was een succes, hè?" zei ze nog nagenietend van de avond daarvoor. „Romy was volkomen verrast, ze had dit echt niet verwacht. Mijn cadeaus vond ze ook leuk. Het is een hoop werk geweest, maar dubbel en dwars de moeite waard. Morgen is haar officiële verjaardag, dan gaan we ook even naar haar toe, hoor. Eenentwintig, wat vliegt de tijd toch. Kun jij je voorstellen dat ik een dochter van eenentwintig jaar heb terwijl ik tegelijkertijd in verwachting ben van haar broertje of zusje?"

„Kun je niet even ophouden?" viel Freek onverwachts uit. Zijn hoofd bonsde. Met een nijdig gebaar gooide hij de helft van zijn cracker op zijn bord. Het kleine beetje trek dat hij had, was nu volledig verdwenen. Franka's onbevangen gepraat over de komende baby was voor hem op dat moment de druppel die de emmer deed overlopen. Hoe blij hij ook was met het feit dat hij vader werd, het kind betekende tevens een levenslange veroordeling.

„Het is mijn schuld niet dat jij een kater hebt," gaf Franka vinnig terug.

„Dit heeft niets met een kater te maken, maar met dat gezeur van je," zei Freek nors. Ineens werd het hem allemaal te veel. Met een ruk schoof hij zijn stoel achteruit. „Ik ga een eindje rijden, ik moet even alleen zijn."

Verbijsterd keek Franka toe hoe hij de kamer uitbeende, even later hoorde ze de klap van de voordeur die in het slot viel. Wat was dit nou opeens? Automatisch begon ze de ont-

bijttafel af te ruimen, haar eigen trek was nu ook wel verdwenen. Freek had wel eens vaker een kater gehad, maar zo
onredelijk als nu was hij nooit geweest. Een angstig gevoel
begon bezit van haar te nemen. Natuurlijk had zij ook
gemerkt dat het de laatste tijd helemaal niet goed ging tussen hen. Sinds ze zwanger was, om precies te zijn. De conclusie dat zijn gedrag daarmee te maken had, was snel getrokken voor haar. In een beschermend gebaar legde ze haar
hand op haar opzwellende buik.
„Je papa heeft het even moeilijk, maar hij trekt wel weer bij.
Hij moet alleen nog wennen aan je komst," sprak ze op sussende toon. Het was voornamelijk bedoeld om zichzelf
gerust te stellen.
Freek reed ondertussen doelloos door de stad, zonder echt
te zien waar hij zich bevond. Automatisch remde hij af voor
rode verkeerslichten, liet hij voetgangers oversteken en ver-
leende hij voorrang wanneer dat nodig was, maar zijn aandacht was er niet bij. Hij dacht helemaal nergens aan op dat
moment, zijn hoofd was leeg, evenals zijn hart. Het duurde
een tijdje voor hij weer helder na kon denken en toen realiseerde hij zich met een schok dat hij zich in de wijk waar
Petra en Romy woonden bevond. Hoe kwam hij hier zomaar
terecht? Hij stuurde zijn auto hun straat in en parkeerde
recht tegenover Petra's huis. Zonder echt te beseffen waar
hij mee bezig was staarde hij naar het keukenraam, dat zich
naast de voordeur bevond. Ineens schrok hij op bij het zien
van een beweging achter het raam. Dat was Petra! Hij zag
haar nu heel duidelijk achter het grote raam, waarschijnlijk
bezig aan haar aanrecht. Zelfs zonder make-up en met haar
haren achteloos in een staartje gebonden, zag ze er schitterend uit, vond hij. Petra had geen make-up nodig om zichzelf
te laten zien, haar persoonlijkheid was sterk genoeg om het
zonder te redden. Freeks hart bonsde luid in zijn borstkas.
Dit was het, het meeslepende gevoel waar hij van gedroomd
had en waar hij naar verlangd had zonder het echt te kunnen
benoemen. Wat hij voor Petra voelde, ook al hadden ze elkaar slechts een paar keer gezien en gesproken, was in niets

te vergelijken met zijn gevoel voor Franka. Maar wat kon hij ermee? Niets, helemaal niets. Vanwege de baby was hij met handen en voeten aan Franka gebonden. Nu hij eindelijk ontdekt had wat hij miste in zijn leven, was het te laat, dacht hij wrang bij zichzelf.

Hij schrok toen hij zag dat Petra zijn kant opkeek en schoof snel iets onderuit. Hij maakte zichzelf belachelijk op deze manier, realiseerde hij zich. Wat als ze hem ontdekte? Wat moest ze dan wel niet van hem denken? Hij leek verdorie wel een puber die zijn eerste liefde stalkte! Zodra Freek zag dat Petra haar keuken verliet startte hij zijn wagen. Met een onverantwoordelijke vaart reed hij de straat uit. Hij merkte niet dat Petra naar buiten was gekomen en de auto fronsend nakeek.

„Is er iets?" wilde Romy weten. Ze had heerlijk lang uitgeslapen en kwam net in haar ochtendjas de trap af toen ze haar moeder in de deuropening zag staan. „Wat sta je daar te staren?"

„Nee, niets," ontweek Petra. „Zo, eindelijk wakker? Koffie?"

„Graag."

Moeder en dochter schoven samen aan de eettafel, allebei met een beker hete koffie voor zich, hun vaste ochtendritueel op zondag. Petra staarde voor zich uit. De auto die tegenover haar huis had gestaan en die met zo'n snelheid weg was gereden, hield haar gedachten flink bezig. Was het werkelijk Freek Kokshoorn geweest? En zo ja, wat deed hij hier dan? Wat had hij ermee voor om vanaf een afstandje naar haar huis te zitten staren? Nee, ze moest het zich verbeeld hebben. Ze was vast nog niet goed wakker, hield Petra zichzelf voor. Het was laat geworden gisteravond en ze had meer gedronken dan ze gewend was, daar kwam het door. Freek had indruk op haar gemaakt, dat wilde ze best toegeven, maar ze moest zich geen dingen gaan verbeelden.

„Hallo." Romy wapperde met haar handen voor Petra's gezicht. „Contact. Wat zit je te staren. Ben je soms verliefd?" vroeg ze lachend.

Uit alle macht probeerde Petra een blos tegen te houden,

wat uiteraard niet lukte. Haar wangen kleurden vuurrood. „Kind, je bent gek," antwoordde ze bits. Om zich een houding te geven nam ze snel een slokje van haar koffie.

„Je wordt rood," plaagde Romy meedogenloos verder. „Ken ik hem?"

„Hou op met dat gezeur." Petra zette haar beker met een klap neer en keek Romy boos aan.

„Het was maar een grapje," verweerde die zich verwonderd. Sinds wanneer kon haar moeder er niet meer tegen als ze geplaagd werd?

Zwijgend dronken ze hun bekers leeg, allebei verdiept in hun eigen gedachten. Romy dacht er het hare van. Een dergelijke reactie was niets voor haar moeder, waar ze uit concludeerde dat er meer aan de hand was en ze waarschijnlijk recht in de roos had geschoten met haar veronderstelling. Ze grinnikte in zichzelf. Haar moeder verliefd, ze vond het best een leuk idee. Maar op wie? Tot nu toe had ze niets aan haar gemerkt, dus moest het iemand zijn die gisteravond op het feest was geweest, oordeelde ze als een ware detective. Driekwart van de genodigden was echter van haar eigen leeftijd geweest en ze zag Petra toch echt niet als iemand met een zonencomplex. Er was eigenlijk niemand geweest die ervoor in aanmerking kwam. Of…? Romy schoot recht overeind bij de gedachte die plotseling in haar hoofd opkwam. Het werd haar warm om het hart. Mama en papa? Zou het echt mogelijk zijn dat haar moeder opnieuw gevoelens koesterde voor haar gewezen echtgenoot? Dat zou fantastisch zijn! Hoe goed het contact onderling ook was en hoe weinig last zij ook mocht hebben gehad van de scheiding, ze had er altijd van gedroomd dat haar ouders weer samen zouden komen. Naarmate ze volwassen werd had ze die dromen langzaam laten varen als zijnde iets onrealistisch, maar de hoop was nooit helemaal uit haar hart verdwenen. Tersluiks keek ze naar haar moeder, die alweer voor zich uit zat te staren. De blik in haar ogen verried dat ze heel ergens anders was.

Dat er nog een andere man was die in aanmerking kwam

voor de affectie van haar moeder, kwam geen seconde in Romy op. Petra kon echter aan niemand anders meer denken. Stiekem hoopte ze dat ze het zich niet had verbeeld en dat het inderdaad Freek was geweest die vanuit zijn auto naar haar huis had zitten staren. Het idee alleen al deed haar hart fel bonzen en bezorgde haar zweethanden en kippenvel van blijdschap. Ze voelde zich vreemd opgewonden, een gevoel dat ze zich nog vaag van vroeger herinnerde toen ze net haar eerste vriendje had. Ze moest al haar verstand bij elkaar rapen om zich voor te houden dat Freek een getrouwde man was die op het punt stond vader te worden. Haar fantasie sloeg nergens op, vertelde ze zichzelf streng. Het prettige gevoel dat ze had ervaren toen ze in zijn armen over de dansvloer gleed, kwam alleen omdat Freek zeer goed danste. Het gebeurde niet vaak dat ze iemand tegenkwam wiens ritme ze zo goed kon volgen. Haar passen hadden zich moeiteloos aangepast aan de zijne. Heel anders dan wanneer ze met Arjan danste, dan moest ze echt al haar aandacht erbij houden om hem te kunnen volgen. Dat was echter geen reden om Freek te gaan idealiseren. Ze moest zich niet zo aanstellen, ze was toch verdorie geen puber meer wier hart op hol sloeg bij iedere knappe jongen die ze zag. Ze was een volwassen vrouw van bijna vijftig jaar, gescheiden en met een dochter van eenentwintig. De tijd van onzinnige verliefdheden lag ver achter haar.

Ondanks dat bleef Freek voortdurend in haar gedachten, tot Petra er zelf gek van werd. Ze verlangde ernaar om hem weer te zien op Romy's officiële verjaardag, tegelijkertijd zag ze er als een berg tegenop. Ze kon geen kant op met haar gevoelens. Arjan zou die maandagavond ook komen en Romy kondigde aan dat Heidi na het werk met haar meekwam en mee bleef eten. Petra kon daar alleen maar blij om zijn. Hoe meer mensen, hoe meer afleiding. Ze zorgde ervoor dat ze druk in de keuken bezig was toen Freek en Franka vroeg in de avond arriveerden. Franka wuifde haar vanuit de woonkamer lauw toe, maar Freek kwam de keuken in om haar te begroeten.

„Gefeliciteerd met je dochter," zei hij hartelijk. Hij zoende haar op allebei haar wangen, de derde zoen kwam op haar mondhoek terecht. Ze schrokken er allebei van. Petra deed snel een stap naar achteren, haar wangen kleurden diep. Ze durfde hem niet recht aan te kijken.

„Dank je wel. En jij gefeliciteerd met eh… met je… Ja, wat is Romy eigenlijk van jou? Stiefdochter?"

„Aangewaaide dochter," zei Freek. „Dat klinkt een stuk vriendelijker. Officieel is ze uiteraard helemaal niets van mij, maar ik hoop toch een soort vaderfiguur voor haar te mogen zijn. Zonder Arjan van zijn rechtmatige plek te duwen natuurlijk."

„Ik wilde dat Franka zich zo opstelde," flapte Petra er op bittere toon uit. Ze sloeg haar hand voor haar mond. „Sorry, dat klinkt hatelijker dan ik bedoelde. Vergeet maar dat ik dat gezegd heb."

„Je hebt gelijk," zei Freek echter kalm. Hij leunde tegen het aanrecht en keek toe hoe ze zenuwachtig in de weer was met de koffie. „Franka doet er momenteel alles aan om de eerste plaats bij Romy te verkrijgen, maar dat gaat vast wel een keer over. Het is vooral onwennigheid en onzekerheid. Ze heeft momenteel heel veel bevestiging nodig."

„Ja, jij zult haar niet afvallen," zei Petra vinnig. „Ze is jouw vrouw."

Op dat moment kwam Arjan de keuken binnen en Petra vroeg zich verward af of ze het zich verbeeld had dat Freek 'jammer genoeg wel' had gemompeld.

„Petra, ik heb de stoelen in de tuin gezet. Aan de achterkant is het windstil en heerlijk zacht," zei Arjan opgewekt. „Kan ik wat meenemen?"

„De cake." Petra duwde hem de schaal met plakjes cake in zijn handen en volgde zelf met het dienblad met de koffie.

Freek kwam er wat schutterig achteraan. Franka was al naast Romy gaan zitten en nam haar volledig in beslag. Heidi zat er verloren naast en Arjan haastte zich om een gesprek met haar te beginnen. Freek en Petra zaten er zwijgend tussenin. Af en toe vingen ze elkaars blik op, waarna ze beiden snel hun ogen afwendden. Freek voelde zich behoorlijk opgelaten met aan de ene kant zijn wettige echtgenote en aan de andere kant de vrouw die hij niet meer uit zijn hoofd kon krijgen. Hij zocht naarstig naar een gespreksonderwerp en was blij toen Arjan zich tot hem wendde.

„Schieten jullie al op met de kinderkamer?" vroeg hij belangstellend. „Dat is een hele klus, dat kan ik me nog goed herinneren. Wij waren al een paar jaar bezig met adoptie, maar ineens was daar het bericht dat er een baby voor ons was en moest alles op stel en sprong geregeld worden. Waar een normaal stel negen maanden de tijd heeft, hadden wij nog geen week. Ik heb in drie dagen tijd onze rommelkamer getransformeerd naar een echte babykamer, maar toen liep ik ook op mijn wenkbrauwen." Hij lachte bij de herinnering. „Daarna zijn we de stad ingegaan en hebben we in één keer alles aangeschaft wat een baby nodig heeft. Ik schrok me wild toen die verkoopster het eindbedrag noemde."

„Ja, het loopt behoorlijk op," beaamde Freek.

„Als je hulp nodig hebt met het kamertje ben ik beschikbaar," bood Arjan gul zijn hulp aan. „Ik vind het altijd wel leuk om te klussen."

„Ik niet. Ik ben niet zo handig met gereedschap en verven lukt me nooit zonder geknoei," bekende Freek. „Ik was van plan om het te laten doen."

„Hè nee, in de kinderkamer hoor je als aanstaande vader zelf aan de slag te gaan, dat hoort bij het proces," lachte Arjan. „Zal ik het komende weekend naar jullie toe komen om te helpen? Samen met mij lukt het je wel."

„Oké dan," nam Freek dat aanbod aan. Hij voelde zich een huichelaar toen Arjan begon uit te weiden over de geneugten van het vaderschap. Hij was dolblij dat hij onverwachts toch nog vader werd, maar toch… Tersluiks keek hij weer naar Petra, die net zijn kant uit keek. Even haakten hun ogen vast in elkaar en leken er vonken over te springen. Een mens kon niet alles hebben in het leven, hield Freek zich voor. Maar hij werd vader, een lang gekoesterde wens kwam daarmee uit. Dat was iets waar hij dankbaar voor moest zijn. Het was alleen wel heel erg wrang dat het vaderschap precies op dit punt van zijn leven kwam. Net nu alle zekerheden weg leken te vallen en hij zijn leven het liefst een heel andere wending wilde geven.

„Hebben jullie al namen?" vroeg Petra nu. Ze dwong zichzelf vriendelijk tegen Franka te doen, al waren er verschillende redenen waarom ze het daar erg moeilijk mee had.

„We zijn er nog niet helemaal uit," antwoordde Franka. „Ik hoop eigenlijk dat Romy mee wil denken over iets leuks."

„Ik vind Demi mooi klinken," zei Romy dromerig. „Maar dat moet je natuurlijk niet van mij af laten hangen. Jullie moeten de naam kiezen, niet ik."

„Demi klinkt anders heel erg mooi bij jouw naam. Romy en Demi." Franka knikte. „Een schitterende combinatie." Ze associeerde de naam onmiddellijk met de actrice Demi Moore, maar haar voornemen om een eventueel volgend kind nooit meer te vernoemen naar een beroemd persoon, verdween als sneeuw voor de zon. Als Romy dit een mooie naam vond, zou die het worden, besloot ze direct in stilte. Mits de baby een meisje was natuurlijk.

„Wat vind jij ervan?" wendde Romy zich tot Freek.

„Mag ik heel eerlijk zijn? Ik vind het een lelijke naam," bekende hij. „Persoonlijk hou ik meer van Franse namen, zoals Chantal of Claudine of zo. Michelle vind ik ook mooi."

„Maar we wonen nu eenmaal niet in Frankrijk," zei Franka bits.

Niet in Amerika ook, dacht Freek bij zichzelf, maar hij hield zijn mond. Hij wist nu al dat hij de slag om de naam zou verliezen. Als Romy de naam Demi mooi vond, zou hun eventuele dochter Demi gaan heten, zo goed kende hij Franka wel. Ze deed alles om Romy aan zich te binden en wist dat hun baby daar een belangrijke schakel in zou vormen. Romy verheugde zich oprecht op haar halfbroertje of halfzusje.

Somber vroeg hij zich af of hij überhaupt ooit iets over het kind te vertellen zou hebben. Inmiddels was Romy's wil bij hen thuis wet, hoezeer hij zich daar ook tegen probeerde te verzetten. Romy was er zelf trouwens ook niet onverdeeld gelukkig mee. Gelukkig had hij haar van het begin af aan graag gemogen, anders zou Franka's houding ook nog een wig tussen hen drijven, vreesde Freek. Hij was Romy min of meer als zijn dochter gaan beschouwen. Voor een buiten-staander had hij alles, peinsde hij. Een knappe, jonge vrouw, een baby op komst en een soort van oudste dochter met wie hij het uitstekend kon vinden. Wat kon uiterlijke schijn toch bedriegen! Niemand wist hoe hij zich werkelijk voelde en hoe benauwd hij het vaak kreeg van zijn huidige leven. Als er maar een manier was om te ontsnappen. Zonder het zelf in de gaten te hebben staarde hij naar Petra, die Franka anekdotes uit Romy's jeugd vertelde en daar levendig haar handen bij bewoog. Even ontsnapte hem een lichte kreun. Ach, Petra... Had hij haar maar eerder ontmoet! Het was echter zeer onrealistisch om zoiets te denken. De ene gebeurtenis was onvermijdelijk op de andere gevolgd. Als Franka niet zwanger geraakt was, had ze misschien nooit de behoefte gevoeld om Romy op te sporen en dan had hij Petra nooit ontmoet. Dan was hij nu nog tevreden geweest met zijn leven.

HOOFDSTUK 11

De weeën begonnen op een koude dag begin december. Sinterklaas was net achter de rug en voor het eerst in haar volwassen leven had Franka dat gevierd met een ouderwetse pakjesavond, gedichten en warme chocolademelk. Vroeger had ze daar nooit iets aan gevonden, maar toen Romy zich een keer had laten ontvallen dat ze zo'n Sinterklaasavond zo gezellig vond, had Franka onmiddellijk besloten om in haar huis deze traditie in ere te herstellen. Freek was het er niet mee eens geweest.

„We hebben er nog nooit iets aan gedaan, ik vind het onzin om er nu ineens mee te beginnen omdat Romy het leuk vindt. Zij viert het al met haar ouders en haar vriendinnen samen," had hij aangevoerd.

Franka trok zich echter allang niets meer aan van wat Freek zei. Zijn mening telde niet mee als het om Romy ging. Op dat gebied trok ze haar eigen plan. Voor Romy was alleen het beste en mooiste goed genoeg en ze werd overladen met aandacht en attenties. Freek vond het belachelijk dat Franka haar hele leven om Romy heen plande.

„Je hebt in de loop der jaren een eigen leven opgebouwd, waar Romy aan toegevoegd moet worden, het is niet de bedoeling dat je jouw leven laat bepalen door haar," had hij al een paar keer gezegd.

Franka overdacht deze discussies terwijl ze haar weeën opving. Freek nam nog maar zo weinig plek in in haar gevoelsleven dat ze er niet eens aan dacht om hem te bellen met de mededeling dat de bevalling begonnen was. Wel belde ze met Romy, die haar heel veel sterkte wenste en beloofde meteen te komen kijken zodra de baby geboren was.

„Ik had eigenlijk gehoopt dat je nu kwam," zei Franka benepen. „De weeën zijn nog niet sterk en regelmatig genoeg om naar het ziekenhuis te gaan en ik ben alleen thuis."

„Bel Freek, die komt vast onmiddellijk," adviseerde Romy kalm. Ze zag het absoluut niet zitten om de hand van haar biologische moeder vast te moeten houden terwijl die aan het bevallen was. Zo hecht was hun band niet, al beweerde Franka graag van wel. Ze moest er niet aan denken om toe te kijken hoe de baby zich door het geboortekanaal een weg naar buiten baande. Dezelfde weg die zij eenentwintig jaar geleden ook gegaan was, al wist ze daar niets meer van. Romy wist niet of ze het aan zou kunnen om te zien hoe Franka deze baby liefdevol in haar armen zou nemen, met de wetenschap in haar achterhoofd dat zijzelf direct na de geboorte door dezelfde vrouw weggegeven was. Al mocht ze achteraf absoluut niet klagen over het leven dat ze gekregen had, ze wist niet of ze deze emoties aankon. Dat kwam te dichtbij. Ze zei echter niets over haar gevoelens tegen Franka. Ze wist dat die dan onmiddellijk weer in de verdediging zou schieten, met een hele discussie als gevolg. Franka deed graag nogal theatraal als ze over het verleden praatten terwijl Romy heel goed wist dat ze de beslissing om haar af te staan destijds meer met haar verstand dan met haar hart genomen had. Ze nam het haar moeder niet kwalijk en had de feiten geaccepteerd zoals ze waren, maar ze kon er niet goed tegen als Franka zich als slachtoffer opstelde.

„Wil je er niet graag bij zijn als je broertje of zusje geboren wordt?" deed Franka nog een laatste poging.

„Ik kan niet weg van mijn werk," loog Romy. Ze schudde haar hoofd tegen Heidi, die opkeek en gebaarde dat zij het werk wel in haar eentje afkon. „Laat Freek me bellen zodra de baby er is. Sterkte."

„Wat was dat allemaal?" vroeg Heidi nieuwsgierig zodra Romy de verbinding had verbroken.

„De weeën zijn begonnen en Franka vroeg of ik bij de bevalling wilde zijn," vertelde Romy.

„Vind je dat niet leuk dan? Het lijkt me een machtig gezicht om dat te zien."

Romy rilde gemaakt. „Ik moet er niet aan denken. Misschien als jij moest bevallen, maar zeker niet bij mijn biologische moeder. De hele situatie is al gecompliceerd genoeg."

„Het gaat toch goed tussen jullie?" zei Heidi. „Je kunt goed met haar en Freek opschieten en je eigen ouders vinden het geen enkel probleem dat je contact met haar hebt. Je vader komt er zelfs regelmatig over de vloer, hij heeft nota bene geholpen met het opknappen van de kinderkamer. Dit had je vast nooit durven verwachten toen je nog twijfelde of je je biologische moeder wel of niet op wilde sporen."

„Het lijkt allemaal erg ideaal," beaamde Romy terwijl ze een stapel truien opvouwde en opnieuw in het rek legde. „Maar onder de oppervlakte broeit het. Mijn beide moeders kunnen niet zo goed met elkaar overweg als iedereen denkt en Franka doet alles om mij naar haar toe te trekken. Ze heeft al eens gevraagd of ik niet bij hen wil komen wonen en ze doet alles wat ik wil of vraag."

„Ze houdt van je en wil graag die verloren jaren inhalen."
Romy schudde haar hoofd. „Ze wil me voor zichzelf hebben. Ze vindt dat mijn ouders me lang genoeg hebben gehad en dat het nu haar beurt is. Ik voel me vaak zo opgelaten en ongemakkelijk bij alles wat ze voor me doet, juist omdat er een bedoeling achter zit. Als ze het uit onbaatzuchtige liefde zou doen, zou het heel anders liggen."

Onbewust van het feit dat haar dochter en haar vriendin haar zielenroerselen aan het bespreken waren, deed Franka haar best de weeën zo goed mogelijk op te vangen. Onontkoombaar kwamen de herinneringen aan haar eerste bevalling weer terug. Die was redelijk snel verlopen, wist ze nog. Ze kon alleen maar hopen dat het deze keer weer zo zou gaan. De buikkrampen waren vervelend, maar voelden nog niet echt pijnlijk aan, daarom besloot ze om nog even te wachten voor ze Freek zou bellen. Ze had er helemaal geen behoefte aan om hem nu om haar heen te hebben, realiseerde ze zich. Het was een bittere constatering. Het drong pijnlijk duidelijk tot haar door dat hun huwelijk niets meer voorstelde. Ze woonden samen in één huis, ze praatten met elkaar, ze deelden het bed samen, maar er was niets meer wat hen echt bond. Zelfs deze baby niet. Freek was altijd bezorgd en attent voor haar, maar daar hield het mee op. Eigenlijk was dat proces al heel lang geleden begonnen,

maar de verwijdering tussen hen was pas echt goed doorge-
zet sinds Romy in haar leven gekomen was.
Haar dochter in ruil voor haar man, zo kon ze het eigenlijk
wel stellen. Freek was veranderd sinds die tijd, hij was
afstandelijker geworden. Soms kon hij heel lang zwijgend
voor zich uit zitten staren en ze had geen flauw idee waar
zijn gedachten dan mee bezig waren. Franka had lang gehoopt dat hun baby hen weer dichter tot elkaar zou brengen,
nu vroeg ze zich echter af of dat echt was wat ze wilde. Als
ze heel eerlijk was, moest ze toegeven dat het haar eigenlijk
niet meer zoveel kon schelen. De liefde was de deur uit, dat
was duidelijk. Ze leefden samen als twee vreemden die toevallig een huis deelden. En straks een baby.
Ze kreeg de kans niet om hier verder over na te denken,
want de weeën zetten ineens goed door en de pijn nam volledig bezit van haar lichaam. Tussen twee felle krampen
door belde ze naar Freek.
„Heb je erg veel pijn?" vroeg hij bezorgd. „Volgen de weeën
elkaar snel op? Hoe lang ben je al bezig?"
„Een paar uur," antwoordde Franka met moeite. Ze beet op
haar lip om het niet uit te schreeuwen. Haar lichaam leek
wel in tweeën gescheurd te worden, een gevoel dat ze vergeten was, maar dat ze zich nu, na eenentwintig jaar, weer
feilloos herinnerde. En het zou nog erger worden, wist ze.
„Dan had je wel eens eerder mogen bellen," zei Freek kortaf.
Franka antwoordde daar niet op en legde zonder meer de
telefoon terug op het toestel. Verwijten van Freek waren wel
het laatste waar ze nu behoefte aan had.
Tussen de pijnscheuten door pakte ze nog wat laatste spulletjes in haar tas en trok ze haar jas aan, zodat ze meteen in
de auto kon stappen toen Freek tien minuten later aan
kwam snellen. „Heb je de verloskundige al gebeld?" vroeg
hij.
Franka knikte. „Ik kon meteen komen."
Zwijgend reden ze naar het ziekenhuis. Verder van elkaar
verwijderd dan ooit, op een moment dat ze zich juist heel erg

verbonden zouden moeten voelen. Ze wisten allebei dat er niets meer tussen hen was, maar waren beiden niet bij machte om daar iets aan te veranderen. Zelfs op dit moment, terwijl de geboorte van zijn baby in volle gang was, kon Freek het niet nalaten om aan Petra te denken. Ze ging zijn gedachten steeds meer beheersen, al zagen ze elkaar maar weinig. Hij vermeed haar bewust en hij wist dat Petra begreep waarom dat was, al hadden ze nooit over hun gevoelens gepraat. Met haar voelde hij zich echter meer verbonden dan ooit met Franka het geval was geweest.

Freek dwong zichzelf zijn aandacht bij Franka te houden, die net het sein tot persen had gekregen.

„Het gaat snel," zei de verloskundige opgewekt. „Hou nog even vol, Franka. Wedden dat je binnen een halfuur je kindje in je armen hebt?"

Het ging zelfs nog sneller. Twintig minuten later ving de verloskundige de baby op.

„Een meisje," zei ze. „Gefeliciteerd, jullie hebben een dochter. Ze is klein, maar zo te zien kerngezond."

„Een meisje," zei Freek vol ontzag. Tot zijn eigen verbazing merkte hij dat de tranen over zijn wangen rolden. „Hoor je dat, Franka? We hebben een dochter!"

Franka had de baby inmiddels op haar buik gekregen en ze pakte het kindje vast alsof ze haar nooit meer los wilde laten. Weer stond de herinnering aan eenentwintig jaar geleden haar levendig voor de geest. Even leek het of ze terug was in de tijd. Dit was het moment waarop haar baby toen weggehaald werd. Ze had haar niet vast mogen houden, had haar zelfs maar heel vluchtig even gezien voor ze werd afgenaveld. Het duurde even voor ze zich realiseerde dat het deze keer anders was. Deze baby mocht ze houden, ze mocht er zelf voor zorgen. Ze lachte en huilde tegelijkertijd. Het verdriet om wat ze bij Romy gemist had sloeg ineens dubbel hard toe, maar tevens was daar de vreugde om dit nieuwe kindje. Het was allemaal zo verwarrend dat ze niet wist wat ze moest doen. Instinctief drukte ze de baby stevig tegen zich aan toen de verloskundige haar handen uitstrekte.

„Rustig maar, we gaan de navelstreng doorknippen en dan moet ik haar even controleren. Ik ga de kamer niet uit met je baby, daar hoef je niet bang voor te zijn," sprak ze op sussende toon. „Meneer, wilt u de navelstreng doorknippen?" Terwijl ze de schaar aan Freek overhandigde en hem wees wat hij precies moest doen, bleef ze tegen Franka aanpraten. Ze wist van haar voorgeschiedenis af en had alle begrip voor de gevoelens van de jonge moeder. „Het is een schitterend kindje. Hoe gaan jullie haar noemen?"

„Demi," antwoordde Franka meteen, gedachtig de avond van Romy's verjaardag toen die had gezegd dat ze dat zo'n mooie naam vond. Sindsdien had ze nooit meer over een andere meisjesnaam nagedacht, ondanks Freeks protesten.

Freek was echter zo onder de indruk van alles wat zich afspeelde dat hij zich er niet eens druk om kon maken. Al wilde ze het kind Clothilde noemen, hij vond alles best. Ze was er, ze leefde en ze was gezond, de rest was niet belangrijk. Hij was vader geworden! Op zijn achtenveertigste, de leeftijd waarop de meeste andere mannen opa werden, mocht hij dan toch eindelijk dat wonder meemaken. Die gedachte overheerste alles.

„Ze krijgt twee dikke tienen van me," zei de verloskundige na een kort, maar zorgvuldig onderzoek van Demi. „Geniet maar van haar."

„Dat zal ik zeker doen." Franka lachte door haar tranen heen. „Ik besef nu pas wat ik vroeger gemist heb. Dit gevoel is echt overweldigend en nergens anders mee te vergelijken. Als ze me toen Romy in mijn armen hadden gegeven, had ik het nooit op kunnen brengen om haar af te staan, denk ik." Ze nam ieder detail in het kleine gezichtje intensief in zich op en hoorde amper dat de verloskundige zei dat ze nog voor de avond naar huis toe mocht.

„Eerst lekker douchen en wat eten, dan is er wat mij betreft geen belemmering," zei ze opgeruimd. „Alles is perfect verlopen en kostgangers houden we hier niet. U heeft kraamhulp geregeld, neem ik aan?"

112

Freek knikte. „Ik moet ze alleen nog bellen dat de baby geboren is."

„Dat is geen probleem, er staat een telefoon bij de balie."

„Eerst Romy bellen," drong Franka aan. Ze wierp een blik op de klok die tegenover de verlostafel aan de muur hing. „Het is nu tien over drie. Vraag maar of ze vanuit haar werk naar ons huis komt, dan ben ik wel thuis."

Romy juichte toen ze het nieuws ontving en beloofde inderdaad direct te komen. Ze was er nog voordat Freek en Franka met de kleine Demi arriveerden en stapte snel uit haar auto zodra ze hen aan zag komen.

„Ik was er al," merkte ze overbodig op.

„Kon je je nieuwsgierigheid niet langer bedwingen?" lachte Freek terwijl hij Franka uit de wagen hielp en zich daarna naar voren boog om de vakkundig vastgezette reiswieg los te gespen.

„Niet veel mensen krijgen nog een zusje terwijl ze al volwassen zijn, ik voel me best wel uniek," zei Romy. Ze feliciteerde Franka, boog zich daarna over de reiswieg in Freeks handen. „O, wat een schatje! Kijk dat neusje nou en die vingertjes. Ach, ze gaapt!"

„Zullen we de bezichtiging binnen voortzetten?" stelde Freek voor. Hij zag al verschillende buren voor de ramen verschijnen en hij hield helemaal niet van dergelijke demonstraties.

Aan Romy's arm liep Franka langzaam naar binnen. Ze besefte dat ze nog niet eerder zo'n geluksgevoel had gehad als nu het geval was. Dat Romy de baby spontaan 'haar zusje' had genoemd, trof haar diep. Van het begin af aan had ze gevoeld dat Romy haar niet zonder meer als haar moeder aanvaardde, nu leek dat ineens anders te liggen. Nu ze Demi honderd procent als haar zusje accepteerde, moest ze haar, Franka, wel als moeder gaan zien. Het gaf haar ineens een flinke voorsprong op Petra.

Demi werd voorzichtig uit de reiswieg getild en uitgebreid bewonderd. Romy was onmiddellijk helemaal idolaat van haar.

„Ik ben je grote zus," kirde ze. Met één vinger kietelde ze zachtjes onder het kleine kinnetje. „Jullie zijn toch zeker wel van plan om binnenkort een weekendje weg te gaan, hè?" wendde ze zich toen tot Freek en Franka. „Dan kom ik lekker oppassen."

„Voorlopig moet ik daar niet aan denken, maar de deur staat uiteraard altijd voor je open als je haar wilt zien," lachte Franka gelukkig.

„Daar zal ik vast misbruik van gaan maken."

„Pas maar op dat wij geen misbruik van jou gaan maken," plaagde Freek haar. „Zo'n vaste, gratis oppas is maar wat makkelijk."

„Gratis? Dat had ik er niet bij gezegd," gaf Romy gevat terug. „Ik mag dan wel familie zijn, maar ik ben niet inwonend."

„Dat kan veranderen wanneer je maar wilt," zei Franka opeens. Ze keek Romy ernstig aan. „Ik heb er nooit een geheim van gemaakt dat ik graag zou willen dat je hier komt wonen en dat aanbod geldt nog steeds, ook nu Demi er is. Je moet niet denken dat jij nu niet meer belangrijk bent voor me."

„Dat was nog geen moment bij me opgekomen. Ik eh... Ik weet niet... Je bent mijn moeder, maar... " stotterde Romy onbeholpen. Ze voelde helemaal niet de behoefte om bij haar biologische moeder te gaan wonen, maar wist niet goed hoe ze dat onder woorden moest brengen zonder haar te kwetsen.

„Romy heeft al een moeder en een ouderlijk huis waar ze thuishoort," schoot Freek haar te hulp. „Je moet eens ophouden om haar een hoek in te dringen waar ze niet in wil zitten, Franka."

„Ik wil Romy nergens toe dwingen, ik wil haar alleen bewijzen dat ze me niets minder waard is dan Demi," verdedigde Franka zichzelf. Met tranen in haar ogen wendde ze zich tot Romy. „Ik begrijp nu pas echt wat ik gemist heb door jou af te staan, nu ik een baby heb gekregen die ik wel mag en kan houden. Maar jij bent evengoed mijn dochter, al heb ik je dan niet zelf grootgebracht. Vergeet

114

nooit dat ik van jou net zo veel hou als van je zusje."

„Dat geloof ik best wel," zei Romy ongemakkelijk. „Maar het is zoals Freek al zegt. Ik heb een huis en een vader en een moeder en die wil ik niet inruilen voor iets anders. Ik ben wel blij met alles wat ik daarbij heb gekregen."

„Je zusje," begreep Franka.

„En jou en Freek," haastte Romy zich te zeggen. „Jullie horen nu evengoed bij mijn leven."

„Maar we maken niet het belangrijkste deel uit en zo hoort het ook," zei Freek rustig. „Jij moet je eigen leven leiden, Romy, zonder je iets aan te trekken van de mening van anderen en zonder aan jezelf te laten trekken. Je bent volwassen, je hebt geen opvoeders meer nodig." Hij keek Franka indringend aan bij die woorden, maar zij ontweek die blik.

Freek kon dat nu allemaal wel zeggen, maar zij was echt niet van plan om het zo snel op te geven, dacht ze opstandig. Romy hoorde net zo bij haar als Demi nu bij haar hoorde en als het aan haar lag zouden allebei haar dochters bij haar wonen. Dat was haar grootste wens en daar had ze veel, zo niet alles, voor over. Nu wilde Romy nog niet, maar dat wilde niet zeggen dat haar strijd verloren was. Ooit ging ze er misschien anders over denken. In ieder geval had ze met Demi een sterke troef in handen, dacht Franka tevreden.

HOOFDSTUK 12

„De kraamverpleegster komt morgen pas," berichtte Freek terwijl hij de telefoonhoorn terug op het toestel legde. „Er is op dit moment niemand beschikbaar en aangezien de bevalling vlot verlopen is en er geen complicaties zijn zien ze geen reden om vanavond nog iemand te sturen."

„Maar dat kan niet," reageerde Franka paniekerig. „Hoe moet dat dan? Wat moeten we doen als Demi gaat huilen?"

„Haar luier verschonen en haar de fles geven," zei Freek kalm.

„Maar ik heb nog nooit een baby verzorgd."

„Het gaat ons heus wel lukken," probeerde Freek haar gerust te stellen. „Ze hebben in het ziekenhuis toch verteld wat je moet doen en hoeveel melk ze mag hebben? Je bent haar moeder, Franka, je kan het."

„Ik weet het niet." Franka keek naar Demi, die innig tevreden in de armen van haar grote zus lag te slapen. Daarna richtte ze haar ogen smekend op Romy.

„Zou jij vannacht hier willen blijven? Alsjeblieft? Ik vind het doodeng om er alleen voor te staan."

„Natuurlijk," antwoordde Romy spontaan. „Ik zal je met alles helpen, dat vind ik alleen maar leuk."

Freek bleef verslagen bij de telefoon staan. Het maakte niet uit wat hij zei, realiseerde hij zich. Franka luisterde zelfs niet eens naar hem. Wat deed hij hier eigenlijk nog? Hij was Demi's vader, maar zijn rol was beperkt, dat maakte Franka hem wel duidelijk. Ineens kreeg hij het benauwd en bruusk draaide hij zich om naar de deur.

„Ik moet even weg, frisse lucht halen," mompelde hij.

„Wat heeft hij nou opeens?" vroeg Romy bezorgd. „Zou hij zich niet goed voelen?"

„Het wordt hem alleen even te veel," wuifde Franka haar ongerustheid weg. „Het is een spannende dag geweest, hij moet in zijn eentje even bijkomen. Dat heeft hij wel vaker."

Freek was in zijn auto gestapt en reed de inmiddels overbekende weg naar het huis van Petra. Zonder dat iemand het wist, had hij deze route de afgelopen maanden regelmatig afgelegd. Hij parkeerde zijn auto dan altijd een stukje voorbij het huis, zodat hij niet meteen zichtbaar was voor de bewoners, maar zelf ongestoord naar het huis kon kijken waar hij Petra in wist. Hij deed dan verder niets, staarde alleen maar. De wetenschap dat hij dan vlak bij haar in de buurt was, was al genoeg. Op de een of andere manier had hij dat nodig om de realiteit van zijn leven weer aan te kunnen. Deze keer stapte hij echter uit en drukte op de bel. Hij handelde als een automaat, zonder er verder over na te denken.

Petra staarde verbaasd naar de man die bij haar op de stoep stond. „Wat kom jij nou doen?"

„Ik heb vandaag een dochter gekregen," zei Freek onlogisch.

„Dat weet ik, Romy belde me dat ze vanuit haar werk meteen naar jullie toe ging. Gefeliciteerd. Maar wat doe je hier?" vroeg Petra nogmaals.

„Ik weet het niet." Hij wreef met een vermoeid gebaar over zijn voorhoofd. Hij zag er slecht uit, ontdekte Petra. Moe en uitgeblust. Heel anders dan je van een kersverse vader zou verwachten.

„Kom binnen, dan maak ik koffie voor je," zei ze terwijl ze de deur uitnodigend openhield. Zwijgend liep hij langs haar heen naar de huiskamer en dankbaar accepteerde hij even later een beker hete koffie, al staarde hij ernaar alsof hij niet wist wat hij ermee moest doen.

„Gaat het wel helemaal goed met jou?" Petra keek hem onderzoekend aan.

„Nee," antwoordde hij eerlijk. Freek zette de beker neer op de salontafel en beende rusteloos door de kamer heen en weer. „Het gaat helemaal niet goed. Al heel lang niet. Niet sinds ik…"

„Ssst," onderbrak Petra hem. Hij ving haar blik op en stopte abrupt. „Zeg het niet."

„Waarom niet?" zei hij opstandig.

„Omdat je net vader geworden bent en je op dit moment niet helder na kunt denken. Hier ga je later spijt van krijgen."

„Dat ik een kind gekregen heb met Franka, is het enige wat ons nog samenbindt. Ik hou van jou," zei hij nu toch. Het was een enorme bevrijding om die woorden eindelijk hardop te zeggen. „Ik hou van je, ik hou van je," herhaalde hij. Het leek wel of hij er geen genoeg van kon krijgen om die zin eindelijk los te laten uit zijn hart. Hij liep op Petra toe en nam haar in zijn armen. Hun lippen vonden elkaar onmiddellijk in een lange kus. „Hier heb ik maanden naar verlangd," zei Freek toen hij haar na een lange tijd met een zucht losliet.

Petra deed meteen een stap naar achteren. „Dit is niet goed," zei ze ernstig.

„Het voelde anders uitstekend."

„Freek, hou op. Ik wil dit niet, niet zo."

„Dat is niet waar. Je verlangt net zo naar mij als ik naar jou. Dat voel ik." Hij boorde zijn ogen diep in die van haar en Petra kon niet anders dan toegeven dat hij gelijk had. Haar knieën bibberden en ze voelde zich vreemd licht in haar hoofd. Het liefst zou ze weer in zijn armen wegduiken en hem nooit meer loslaten.

„Het is onmogelijk," zei ze echter moeizaam. „Dit kan gewoon niet. Je bent getrouwd, je bent net vader geworden. Je hoort hier helemaal niet te zijn."

„Franka heeft me nergens voor nodig, ze heeft Romy bij zich," zei Freek bitter. „Ze vroeg haar of ze wilde blijven slapen omdat ze het eng vindt om er alleen voor te staan. Alsof ik niet besta. En zo is het ook, ik besta niet langer voor Franka. Er is niets meer tussen ons."

„Toch hoor je nu bij haar te zijn," hield Petra vol.

„Dat weet ik, maar op dat moment werd het me allemaal te veel. Ik moest gewoon even naar je toe, je zien. Wat ik net zei werd me niet ingegeven door de emotie van het moment of door de verwarring van de bevalling, ik meende het. Ik hou van je."

„Ik hou ook van jou." Petra kon het niet laten, ze moest het zeggen. De woorden ontglipten haar volkomen buiten haar wil om.

Het volgende moment lagen ze opnieuw in elkaars armen.

118

Deze keer duurde het beduidend langer voor Freek haar losliet. Ondanks de gecompliceerde situatie straalden zijn ogen
van geluk. „Ik wist het, ik heb het gevoeld. Van het begin af
aan is er iets heel speciaals tussen ons geweest. Als ik mijn
kleine dochtertje niet had, zou ik hier nooit meer weggaan."
„Maar ze is er wel," zei Petra zacht. „Net als Franka. Ik wil
niet 'die andere vrouw' zijn, Freek, daar voel ik me te goed
voor. Ik ben geen type voor stiekeme verhoudingen en ik wil
mijn leven niet baseren op leugens."
„Dat hoeft ook niet," zei hij vastberaden. „Ik zei je net al dat
er tussen Franka en mij niets meer is, dat was heus geen
smoesje om je te verleiden. Het is gewoon over tussen ons, al
heel lang. Tot ik jou ontmoette was ik redelijk tevreden met
mijn leven en had ik me erbij neergelegd dat het zo zou blijven, nu kan ik dat echter niet meer. Er zullen dingen moeten
veranderen, want ik wil jou nooit meer kwijt. Jij bent het
voor mij, Petra, dat gevoel kan ik niet negeren. Ondanks de
komst van Demi, waar ik overigens dolgelukkig mee ben, is
het voor mij onmogelijk om met Franka getrouwd te blijven."
„Dat kun je haar nu niet zeggen, ze is net bevallen."
„Het zal tijd kosten," gaf Freek toe. „Maar dat geeft niet. Wat
telt, is het resultaat. Over een paar maanden, als Franka
lichamelijk hersteld is en ze gewend is aan het leven met een
baby, zal ik met haar praten. Zij is ook niet langer gelukkig
met mij, dus ik verwacht geen problemen op dat gebied. Het
zal voor ons allemaal beter zijn als wij uit elkaar gaan. Demi
zal als ze opgroeit niet beter weten en het accepteren als iets
heel normaals dat haar mama en papa niet bij elkaar wonen,
dat is voor haar minder ingrijpend dan een scheiding meemaken."
„Wat zal Romy ervan vinden?" vroeg Petra zich hardop af.
„Zij is er ook nog. Haar ene moeder begint een relatie met de
man van haar andere moeder." Ze kreunde. „Mijn hemel, wat
een gecompliceerde situatie. Waar beginnen we aan, Freek?"
„Het komt allemaal in orde," beloofde hij haar terwijl hij
Petra naar zich toe trok. „Hoe dan ook. We zijn allemaal volwassen mensen, Romy incluis. Met zijn allen komen we er

heus wel uit. Mijn leven zal in ieder geval nooit meer hele-maal zinloos zijn, nu ik jou en Demi heb."

Opnieuw volgde er een lange omhelzing, waar Petra zich na enige tijd met moeite uit losmaakte. De verleiding om Freek nooit meer los te laten was groot, maar op deze stiekeme manier wilde ze het niet. Voor haar was het alles of niets. Ze wist dat ze Freek nooit zou vragen zijn gezin voor haar in de steek te laten, maar voor een relatie aan de zijlijn was ze zeker niet geschikt. Hij moest eerst zijn zaken met Franka regelen voor de weg voor hen samen vrij was.

„Ga nu," drong ze aan. „Je hoort nu allereerst thuis te zijn. Onze tijd komt nog wel."

„Ik wil niet bij je weg," mompelde hij met zijn mond in haar haren.

„Je moet. Ik wil absoluut geen stiekem gedoe, Freek. Franka is de moeder van mijn dochter en de moeder van jouw doch-tertje. We zullen altijd met haar te maken hebben en ik wil haar recht in de ogen kunnen kijken. De hele situatie is al moeilijk genoeg."

„Jij bent zo sterk. Dat bewonder ik ook zo in je," zei Freek nog terwijl hij aanstalten maakte om weg te gaan. Het kost-te hem moeite, maar hij wist dat Petra gelijk had. Hij zou zelf trouwens niet anders willen. Zijn relatie met Petra mocht niet bezoedeld worden door leugens. Zonder Demi zou hij vandaag nog met Franka gaan praten, wist hij. Maar Demi was er wel en ondanks alles was hij daar blij om, al maakte haar komst alles niet eenvoudiger. Zeker ter wille van haar moest hij zijn huwelijk goed afhandelen zonder stiekeme escapades. In de toekomst moesten ze met zijn allen door één deur kunnen. Franka, Petra, Romy en hijzelf. En Arjan, niet te vergeten. Al was hij hier dan niet rechtstreeks bij betrokken, hij hoorde er als vader van Romy evengoed bij. Freek wilde de vriendschap met Arjan, die zich de laatste maanden verdiept had, voor geen prijs kwijtraken. Al met al was het zeker een ingewikkelde situatie, toch was het lang geleden dat hij zich zo gelukkig had gevoeld. De toekomst lachte hem zonnig tegemoet.

„Alles komt goed," verzekerde hij Petra bij de buitendeur nogmaals. „Al kan het even duren."

„Ik denk dat we die tijd allemaal hard nodig hebben," vermoedde Petra. „Het is niet niks wat we veroorzaken."

„Maar het is het dubbel en dwars waard. Zeg nog eens dat je van me houdt," verzocht hij speels.

Petra keek hem recht aan. „Ik hou van je, dat weet je. Al heel lang zelfs. Maar je moet hier niet meer komen voor je alles met Franka hebt uitgepraat. Ik wil alles zo eerlijk en zuiver mogelijk houden, dat is voor iedereen beter."

„Nog één laatste zoen dan voor ik wegga," zei Freek hees. Hij trok haar naar zich toe en kuste haar heftig, zonder acht te slaan op de man die met zijn hond voorbij wandelde en zonder te letten op de auto die door de straat reed.

Maaike den Hollander, die met een collega ergens een hapje was wezen eten en die nu met diezelfde collega naar haar huis reed om nog iets te drinken, verdraaide bijna haar nek bij het schouwspel dat zich voor haar ogen afspeelde. Ze kon haar ogen amper geloven. Was dat Freek die Petra stond te zoenen alsof ze een hartstochtelijke relatie hadden? Dezelfde Freek die haar een paar uur geleden dolgelukkig had opgebeld met de mededeling dat hij en Franka een dochtertje hadden?

„Niet te geloven," mompelde ze voor zich heen.

„Wat is er?" vroeg haar collega met een blik opzij. „Meid, je kijkt alsof je een spook hebt gezien."

„Was het maar waar, dit is erger. Zag jij die man en die vrouw die in de deuropening stonden te zoenen? Dat was mijn zwager en die vrouw is de adoptiemoeder van het kind van mijn zus."

Coralie zette grote ogen op. Ze was blij dat ze af moest remmen voor een rood verkeerslicht, want de strekking van dit verhaal drong maar heel langzaam tot haar door.

„Hij bedriegt haar dus met iemand die je zus ook kent," constateerde ze.

„Walgelijk, nietwaar? Het ergste is dat ze vandaag een baby hebben gekregen. Franka ligt nu dus thuis bij te komen van de bevalling en Freek weet niet hoe snel hij naar zijn liefje toe moet. Gadver, wat een schoft! Ik vraag me af hoe lang dit al aan de gang is," zei Maaike op verachtelijke toon.

„Het is wel zielig voor je zus," zei Coralie meelevend. „Wat ga je nu doen?"

„Ik vrees dat ik het haar moet vertellen," zei Maaike met een zucht. „Ik bedoel, dit kan ik toch niet voor haar verborgen houden? Ik zou het in ieder geval willen weten als mijn man me bedroog."

Coralie knikte. „Je hebt groot gelijk. Meestal is de echtgenote de laatste die op de hoogte is en dat lijkt me zo'n enorme vernedering. Het is voor een vrouw al erg genoeg, maar er achter komen dat iedereen in je omgeving er al van af wist, is nog veel erger."

Het feit dat Coralie het met haar eens was, sterkte Maaike in haar mening, al zag ze ertegen op om het Franka te moeten vertellen. Maar ze had geen keus, hield ze zichzelf voor. Haar zus had recht op de waarheid.

Onwetend van wat hem via Maaike boven zijn hoofd hing, aanvaardde Freek de terugweg naar huis. Ondanks de gecompliceerde situatie voelde hij zich een stuk beter dan toen hij enkele uren geleden wegging en hij kwam dan ook fluitend binnen.

„Hoe is het hier?" informeerde hij opgewekt. Franka lag in de huiskamer op de bank en Romy zat tegenover haar. Ze hadden allebei een beker thee voor zich staan. „Moet jij niet nodig je bed in?" wendde hij zich tot Franka.

„Ik heb al een paar uur geslapen, maar Demi maakte me wakker. We hebben haar net de fles gegeven en haar verschoond, nu slaapt ze weer," vertelde Franka.

„Ik heb haar dus net gemist, jammer. Ging het goed?"

„Dankzij Romy wel, ja," antwoordde Franka bits. „Aan jou had ik weinig gehad. Ik ben blij dat zij hier wilde blijven."

Freek ging niet op deze beschuldiging in. Hij wist van zichzelf heel zeker dat hij nooit weggegaan zou zijn als Romy hier niet geweest was, want dan had hij Franka absoluut niet alleen gelaten. Zelf kende ze hem trouwens goed genoeg om dat ook te weten.

„Demi is zo'n schatje," zei Romy snel. Ze voelde de gespannen stemming en wilde een eventuele ruzie voor zijn. „Volgens mij heeft ze al naar me gelachen. Ja, ik weet wel dat het slechts een stuipje geweest is, maar het leek in ieder geval op een echte lach."

„Dan was het ook een echte lach," zei Freek beslist. Hij knipoogde naar haar. „Als ze net zo bijzonder is als haar grote zus, verbaast het me niet eens."

„Jij bent in ieder geval in een beter humeur dan aan het begin van de avond," zei Romy gevat. „Je hebt een blik in je ogen alsof je verliefd bent. Je lijkt mijn moeder wel."

„Wat bedoel je daarmee?" vroeg Freek. Zijn stem klonk scherp van schrik. Zou Romy iets vermoeden?

„Die kan de laatste tijd ook zo dromerig voor zich uit zitten staren, net als jij net deed. Bij jou weet ik dat het door Demi komt, maar mijn moeder is volgens mij verliefd. Soms hou ik een heel verhaal tegen haar en dan blijkt achteraf dat ze me niet eens gehoord heeft."

„Misschien heeft ze het gewoon heel druk op haar werk en is ze er daarom niet altijd met haar gedachten bij," merkte Freek nonchalant op.

Romy schudde haar hoofd. „Ze heeft het wel vaker druk, maar dat kan ze thuis heel goed van zich afzetten. Nee hoor, ze is echt verliefd. En volgens mij weet ik ook op wie."

Freek hield even met een scherp geluid zijn adem in. Hij wilde iets zeggen om Romy's antwoord voor te zijn, maar hij kon geen zinnig woord uitbrengen.

„Op papa!" klonk Romy's stem toen echter al triomfantelijk. Opgelucht ademde hij uit. Gelukkig, ze had in ieder geval niet in de gaten wat er speelde. „Volgens mij koestert ze opnieuw diepgaande gevoelens voor hem."

„Hoe kom je daarbij?" vroeg Franka geïnteresseerd.

„Omdat haar veranderde gedrag begonnen is na de feestavond voor mijn verjaardag, dus het moet iemand zijn die daarbij aanwezig was," begon Romy haar theorie uit te leggen. „Nou, je weet zelf dat er maar heel weinig mannen waren die in aanmerking komen, vandaar. Ik zou het fantastisch vinden als ze weer bij elkaar komen."

„Ik zou er toch maar niet te veel op rekenen als ik jou was," zei Franka gemelijk. Ze voelde zich opeens doodmoe en lamgeslagen. Moeizaam stond ze op. „Ik ga terug naar bed, ik voel me ineens niet zo lekker."

„Ik help je wel." Freek schoot op haar toe, blij dat hij een excuus had om de kamer te verlaten en zo dit gesprek te beëindigen. „Ik blijf ook meteen boven. Welterusten, Romy."

Hij voelde zich een schoft en een bedrieger toen hij Franka hielp om in bed te komen en zorgzaam het dekbed over haar heen sloeg. Zowel naar Franka als naar Romy toe was hij niet eerlijk, wist hij. Maar veel keus had hij op dit moment niet. Het liefst zou hij onmiddellijk alles met Franka uit willen praten, maar dat was op dit moment onmogelijk. Ze was net moeder geworden, voorlopig moest ze al haar aandacht daarop kunnen richten. Dit was zo'n unieke tijd voor een vrouw, hij zou zichzelf pas echt een monster vinden als hij dat voor haar zou verpesten.

Ondanks de drukke dag die achter hem lag kon hij de slaap niet vatten. Urenlang lag hij in het donker voor zich uit te staren, proberend zijn gevoelens op een rijtje te zetten. De komende tijd zou zeker niet makkelijk zijn, dat wist hij van tevoren. Tegenover Franka en de buitenwereld moest hij doen alsof er niets aan de hand was, terwijl zijn hart en zijn lichaam naar Petra verlangden. Nu hij zeker wist dat zij zijn gevoelens beantwoordde, leek dat een onmogelijke opgave. Maar ook daarna, als alles in de openbaarheid kwam en hij eindelijk voor zijn liefde uit mocht komen, zou niet alles in één keer koek en ei zijn. Hij was nu eenmaal geen man die zijn verantwoordelijkheden makkelijk opzijschoof. Hij zou hoe dan ook voor Franka en voor Demi moeten zorgen, dat was hij aan zijn vrouw verplicht. Ten opzichte van Demi wilde hij trouwens niet anders. En dan was Romy er ook nog. Romy, die net nog te kennen had gegeven dat ze heel graag wilde dat haar ouders weer samen zouden komen.

Hoe zou zij op dit nieuws reageren? Kon ze ermee instemmen omdat het geluk van haar moeder vooropstond of zou ze zich terugtrekken en de kant van Franka kiezen? Het zweet brak Freek uit bij de gedachte dat Petra hem af zou wijzen als Romy het niet met hun relatie eens kon zijn. Als het nodig was, zou ze onvoorwaardelijk voor haar dochter kiezen, dat wist hij zeker. Zijn liefde voor Petra had hem in een onmogelijke positie gebracht, toch voelde hij zich gelukkig. Het gevoel dat Petra in hem boven bracht, was het gevoel waar hij jarenlang vergeefs naar had verlangd, zonder het in woorden uit te kunnen drukken. Een gevoel dat Franka hem niet had kunnen geven, ondanks dat ze het nooit slecht hadden gehad met elkaar. Mocht het in de toekomst allemaal niet zo uitpakken als hij nu hoopte, dan had hij toch in ieder geval deze ene avond gehad. Een avond vol geluk en meeslepende gevoelens, wat hij altijd gewild had. Dat kon niemand hem tenminste meer afnemen, dacht Freek tevreden voor hij eindelijk in slaap viel.

Hij wist niet dat Franka naast hem ook nog wakker lag, al hield ze haar ogen stijf gesloten. In het begin van de avond had ze een paar uur geslapen en daarmee leek alle moeheid ineens verdwenen te zijn. In gedachten ging ze alle gebeurtenissen van die dag nog eens na. De geboorte van Demi had haar liefde voor Romy nog intenser gemaakt. Nu besefte ze pas echt wat ze allemaal gemist had. Romy had zich zonder haar ontwikkeld van een afhankelijke baby tot een volwassen vrouw en dat kon ze nooit meer ongedaan maken. Maar ze kon het wel goedmaken, dacht ze. Nu, met allebei haar dochters onder haar dak, voelde ze zich bijna wensloos gelukkig. Kon dat maar altijd zo blijven, koos Romy er maar voor om bij haar te komen wonen. Daar had ze heel erg veel voor over. Ze wilde niet slechts die 'andere moeder' zijn, ze wilde haar enige moeder zijn. Ze wilde dat Romy haar mama zou noemen, net als Demi dat ooit zou gaan doen.

Langzaam zakte ook Franka weg in een diepe slaap, al bleven haar hersens nog even doormalen. Als Petra en Arjan inderdaad weer bij elkaar zouden komen, wilde Romy mis-

schien wel weg thuis, om haar ouders in alle rust van hun
nieuw verworven geluk te laten genieten, overwoog ze sla-
perig. Wellicht kon zij Romy wel een hint in die richting
geven, dat zou haar goed van pas komen. Al moest ze bekennen dat de gedachte aan Petra en Arjan samen haar geen fijn
gevoel gaf.

HOOFDSTUK 13

Met spijt in haar hart nam Romy de volgende ochtend afscheid. Veel liever had ze nog een tijdje van haar zusje willen genieten, maar ze kon moeilijk zomaar van haar werk wegblijven.

„Vanavond kom ik weer," beloofde ze Franka voor ze eindelijk, een kwartier te laat, dan toch de deur achter zich dichttrok.

„Kom dan direct vanuit je werk en blijf eten," stelde Franka voor.

Romy dacht daar even over na, schudde toen toch haar hoofd. De kraamverpleegster zou maar tot halfzes blijven terwijl zij tot zes uur moest werken. Voor Franka en Freek was het makkelijker om te eten terwijl de kraamverpleegster er nog was.

„Doe geen moeite. Ik ga eerst thuis eten, daarna kom ik hierheen," zei ze dan ook. „Zie je vanavond." Ondanks dat ze al te laat was, glipte ze toch nog een keertje naar binnen om Demi zachtjes te knuffelen. Ze kon echt geen genoeg van de baby krijgen, iets wat Franka met genoegen bezag.

„Romy houdt echt van Demi," zei ze tegen Freek.

„Het is ook een schatje," zei hij vertederd. Demi lag in de box en hij probeerde haar aandacht te trekken door met een felgekleurd speeltje boven haar hoofd te zwaaien, iets waar ze overigens niet op reageerde. „De kraamverpleegster komt om negen uur, dan kunnen we mooi Demi in bad doen voor ze haar volgende voeding moet hebben."

„Bemoei jij je daar nu maar niet mee," verzocht Franka stroef.

„Ze is ook mijn dochter. Je kunt me niet zomaar aan de zijlijn laten staan, Franka. Dat heb je gisteravond al gedaan, maar ik ben niet van plan om me daarnaar te schikken."

„Wat bedoel je?" vroeg ze met een schelle stem.

„Precies wat ik zeg." Freek richtte zich op en keek zijn vrouw boos aan. „Het was meer dan belachelijk dat je Romy vroeg of ze wilde blijven terwijl ik er was. Hoe denk je dat het voor mij voelde toen je haar met tranen in je ogen vertelde dat je bang was in je eentje? Ik ben misschien totaal overbodig voor jou, maar ik wil net zo goed mijn aandeel in de verzorging van Demi hebben."

„Jij wist anders niet hoe snel je weg moest gaan gisteravond. Zonder Romy had ik me volkomen radeloos gevoeld," verweerde Frank zich.

Freek schudde zijn hoofd. „Je moet de feiten niet verdraaien," zei hij kortaf. „Je weet heel goed dat ik nooit weggegaan zou zijn als er niemand bij je was geweest. Ik ben min of meer gevlucht omdat ik geen ruzie wilde maken en het benauwd kreeg van jouw houding."

„Ja, schuif de schuld maar weer op mij af," zei Franka sarcastisch. „Makkelijk hè? Misschien kun je er een beetje rekening mee houden dat ik gisteren bevallen ben en niet helemaal mezelf was."

„Integendeel, dat was je juist wel. Je bent al maanden bezig om Romy voor je te winnen en gisteravond nam je de gelegenheid waar. Bewust en weldoordacht. Dat het ten koste van mij ging interesseerde je niet. Je hebt nog steeds niet door hoe fout je bezig bent, hè?" Hij keek haar vorsend aan, maar Franka verblikte of verbloosde niet onder zijn blik.

„Je overdrijft," zei ze kalm. „Het was een rare en spannende dag gisteren, voor ons allemaal. Ik nam jou niet kwalijk dat je eventjes alleen wilde zijn, doe jij dan op jouw beurt alsjeblieft niet zo moeilijk omdat ik Romy vroeg om te blijven. Jij hebt nog nooit een baby verzorgd, ik ging er zonder meer van uit dat een vrouw daar beter in is dan een onervaren man."

„Gelukkig dan maar dat Romy zoveel ervaring in babyverzorging heeft," zei Freek nog hatelijk. Hij was verbijsterd over het gemak waarmee Franka de zaken naar haar hand wist te zetten, maar veel kans om nog iets te zeggen kreeg hij niet omdat de kraamverpleegster ten tonele verscheen. Ze stelde zich voor als Ine Beekman en nam direct resoluut de touwtjes in handen.

„Jullie hebben al ontbeten, zie ik," zei ze met een blik op de

128

nog niet afgeruimde ontbijttafel. „Mooi, dan ga ik eerst de temperatuur van mevrouw opmeten en daarna gaan we deze jongedame lekker afsponsen. De tafel ruim ik straks wel af."

„Dat doe ik wel," bood Freek haastig aan, maar Ine wimpelde dat af.

„Nee hoor, dat is mijn werk. Jullie moeten nu alleen maar van de kleine genieten en leren hoe alles in zijn werk gaat. U mag helpen met het in bad doen van Demi."

Franka's gezicht betrok. Wat haar betrof deed ze dit soort dingen liever zonder de aanwezigheid van Freek, maar dat kon ze moeilijk tegen deze Ine zeggen. Wat was dat toch de laatste tijd tussen hen, vroeg ze zich peinzend af. Het leek wel of ze Freeks gezelschap helemaal niet meer kon verdragen. Ze nam het hem kwalijk dat hij haar pogingen om een goede band met Romy op te bouwen saboteerde, zoals ze het voor zichzelf noemde. Zelf kon hij vanaf het eerste moment al goed met haar opschieten. Die twee hadden een vanzelfsprekende manier om met elkaar om te gaan, terwijl zij juist het gevoel had dat ze voor ieder spoortje genegenheid van Romy moest vechten. Dat stak haar, Franka was eerlijk genoeg om dat aan zichzelf toe te geven. Misschien wilde ze daarom liever niet dat hij zich intensief met Demi bezighield, dacht ze, proberend haar verwarde gevoelens te analyseren. Romy was háár dochter, toch kon Freek beter met haar overweg. Onbewust wilde ze waarschijnlijk niet dat Freek ook met Demi een betere band opbouwde dan zijzelf had.

Ze voelde zich zo schuldig vanwege deze ontdekking dat ze oprecht probeerde niets van haar gevoelens te laten merken toen ze even later samen Demi in bad deden. Dat lukte haar zo goed dat Ine het tafereeltje tevreden bekeek.

Wat een leuk gezin, dacht ze bij zichzelf. Ze maakte in haar werk heel wat mee binnen de gezinnen waar ze kwam, maar hier verwachtte ze geen moeilijkheden. Freek en Franka waren duidelijk dolblij met hun dochter en deden allebei hun best om de aanwijzingen omtrent haar verzorging zo goed mogelijk op te volgen.

Het werd een vreemde, rommelige dag met veel telefoontjes en veel geregel wat betreft de geboortekaartjes. De drukker had Demi's naam verkeerd gespeld, waardoor alles over moest. Terwijl ze wachtten op het telefoontje dat de kaartjes klaar waren, schreef Freek vast de enveloppen. Net toen hij daarmee klaar was belde de drukker.

„Ik ga ze meteen halen," besloot hij. „Dan kan ik ze vanmiddag nog op de post doen. Moet ik nog iets voor je meenemen?"

„Nee, Ine heeft net boodschappen gedaan. Demi slaapt nu, ik denk dat ik ook even ga liggen."

„Doe dat," zei Freek zorgzaam. „Wil je naar bed of ga je op de bank liggen? Zal ik dan een deken voor je pakken?"

„Ga jij maar," mengde Ine zich in het gesprek. „Ik zorg wel voor Franka, doe jij nu maar wat er gedaan moet worden." Ze keek hem lachend na toen hij het huis verliet. „Wat een leuke man heb je," wendde ze zich tot Franka. „Eerlijk gezegd maak ik dat wel eens anders mee. Je wilt niet weten hoeveel vrouwen er alleen voor staan omdat de verwekker van hun kind er vandoor is gegaan na de verheugende mededeling dat ze vader zouden worden. Jij mag je handjes dichtknijpen."

Dacht ik daar zelf ook maar zo over, dacht Franka somber bij zichzelf. Zij beschouwde Freek allang niet meer als een leuke man, eerder als een storzender. Zonder hem zou haar relatie met Romy veel minder stroef verlopen, dat wist ze zeker. Met zijn op- en aanmerkingen maakte hij alles alleen maar moeilijker. Was hij maar een beetje meer als Arjan. Sinds hij hen geholpen had met het opknappen van de babykamer was hij een geregelde gast in hun huis geworden en met hem kon ze wel over haar verwarde gevoelens ten opzichte van Romy praten. Niet dat ze er urenlang over zaten te bomen als hij er was, maar als het ter sprake kwam liet hij merken dat hij begrip voor haar had. Freek reageerde alleen maar geïrriteerd.

Zuchtend draaide Franka zich om op haar comfortabele bank. Ze wilde nu het liefst een uurtje slapen, maar de deurbel weerhield haar van dat voornemen. Het was Maaike.

„Zo, jij hier, midden op de dag?" begroette Franka haar verbaasd. „Moet je niet werken?"

„Er bestaat nog steeds zoiets als ATV," zei Maaike, stuurs als altijd. „Gefeliciteerd zus. Is alles goed gegaan?" Ze wierp Franka een bezorgde blik toe, die Franka niet begreep. Maaike was al die negen maanden van haar zwangerschap niet zo meelevend geweest.

„Perfect. Demi is een schitterend kindje en helemaal gezond," zei Franka trots. „Ze slaapt nu, maar over een uur krijgt ze weer een voeding, dus als je even blijft kun je haar straks bewonderen."

„Eigenlijk wil ik ergens met je over praten," zei Maaike voorzichtig. Ze had er lang over nagedacht en was tot de conclusie gekomen dat ze Franka zo snel mogelijk in moest lichten over de verhouding die Freek met Petra had. Ieder uur dat Franka langer in onwetendheid door moest brengen, zou oneerlijk zijn. Ze had er recht op te weten wat er speelde, ook al was het nu misschien geen gunstig moment. Maar wanneer was het wel een gunstig moment om te horen dat je man vreemdging? Beter was het om maar direct door de zure appel heen te bijten.

„Ik ben gisteravond met een collega ergens wezen eten… " begon ze.

„Een mannelijke collega?" viel Franka haar in de rede. „Wat leuk. Vertel, ik wil alle details horen."

„Doe niet zo raar. Natuurlijk was het geen mannelijke collega," zei Maaike ongeduldig.

„Waarom vertel je het dan? Ga me niet vertellen dat je plotseling op vrouwen valt." Franka lachte hartelijk om haar eigen grapje.

„Hou nou eens even je mond en luister naar wat ik te vertellen heb!" viel Maaike uit. „Het gaat helemaal niet om die collega, maar om wat we gezien hebben toen we vanaf het eetcafé naar haar huis reden. We kwamen door…"

Weer werd ze onderbroken, nu door Ine die met een dienblad binnenkwam.

„Thee en beschuit met muisjes," kondigde ze opgewekt aan. Maaike zuchtte ongemerkt. Ze had er helemaal geen rekening mee gehouden dat er een kraamverpleegster aanwezig zou zijn. Het enige wat ze wilde was Franka zo snel mogelijk vertellen wat er aan de hand was, vandaar dat ze haar vrije middag had benut om bij haar zus op kraamvisite te gaan. Maar ze had dus toch beter 's avonds kunnen gaan, constateerde ze in stilte. Ze kon moeilijk het hele verhaal vertellen waar een vreemde vrouw bij was.

„Je was iets aan het vertellen," hielp Franka haar herinneren nadat Ine de thee had ingeschonken en er gezellig bij kwam zitten. „Kom op met je verhaal, je hebt me behoorlijk nieuwsgierig gemaakt."

„Laat maar zitten," zei Maaike stuurs.

„Nee, zo kom je er niet van af. Het is iets wat je hoog zit, dat zie ik. Kom op ermee," eiste Franka.

„Ik zei laat maar zitten." Maaike seinde met haar ogen in de richting van Ine. „Een ander keertje."

„Ben ik te veel?" vroeg Ine, van de een naar de ander kijkend. „Zeg het gerust als het zo is, dan ga ik vast boven aan de slag."

Maaike schudde haar hoofd. Ineens leek het niet meer zo'n goed idee om haar zus de waarheid te vertellen. Thuis had het zo makkelijk geleken. Eerlijk gezegd had ze zelfs een lichte triomf gevoeld. Eindelijk was het nu eens Franka's beurt om een onheilstijding aan te moeten horen. Haar zus leidde het leven van een prinses bij haar vergeleken. Ze woonde in een riant huis, had een lieve echtgenoot en als klap op de vuurpijl nu ook nog een dochtertje. Alles waar Maaike jarenlang naar verlangd had, maar wat haar door het noodlot uit handen was geslagen, bezat Franka wel. Het werd wel eens tijd dat ze ook eens geconfronteerd werd met tegenslag, had Maaike die ochtend nog stiekem gedacht. Nu kon ze de juiste woorden echter niet vinden en de aanwezigheid van Ine maakte het er niet makkelijker op.

Even later verscheen ook Franka's vriendin Laura en toen

werd het Maaike helemaal onmogelijk gemaakt om te doen waar ze voor gekomen was.

Stil luisterde ze naar het vrolijke geklets van Franka en Laura. Vroeger was Laura haar vriendin geweest en had Franka er een beetje bij gehangen. Tegenwoordig was het andersom. Als Laura en Franka bij elkaar waren voelde Maaike zich er voor spek en bonen bij zitten. De twee vriendinnen hadden altijd wel iets te kletsen en te lachen en Maaike was nu eenmaal niet zo sociaal ingesteld. Sinds haar vriend bij dat noodlottige ongeluk om het leven was gekomen en zij haar baby had verloren, had ze zich helemaal in zichzelf teruggetrokken. Laura had lang geprobeerd om haar uit haar isolement te halen, maar tevergeefs. Maaike wilde niet geholpen worden en uiteindelijk had ze het opgegeven. Sindsdien was de vriendschap met Franka opgebloeid, iets wat Maaike met lede ogen aangezien had.

Ook nu wierp ze weer jaloerse blikken op de twee vrouwen tegenover haar. Zij had er net zo goed niet bij kunnen zitten, dacht ze bitter bij zichzelf. Franka had nog niet eens het cadeautje dat ze had meegebracht uitgepakt, het lag nog steeds op de salontafel.

„Wilt u nog een kopje thee?" haalde de vriendelijke stem van Ine Maaike uit haar sombere gedachten.

Maaike schrok op. „Nee, dank je wel," was haar antwoord. „Ik moet weer eens gaan."

„Nu al?" zei Franka. „Demi wordt zo wakker. Ik geloof zelfs dat ik haar al hoor." Luisterend hief ze haar hoofd omhoog.

„Ik ga haar wel halen." Ine kwam meteen overeind. „Dan kan mevrouw haar nichtje nog even bewonderen."

Enigszins schutterig bleef Maaike midden in de kamer staan. „Kijk, daar is de kleine schat." Ine kwam weer binnen met Demi op haar armen en ze legde het kleine bundeltje in Maaikes armen.

Stil keek Maaike naar het kleine gezichtje met de heldere, blauwe ogen, die haar onderzoekend aan leken te kijken. Herinneringen aan lang vervlogen tijden kwamen weer bij haar boven. Haar eigen zwangerschap was zo vrolijk en gelukkig begonnen, maar in plaats van een goede afloop was het geëindigd in een drama. Zonder dat ze er erg in had sprongen de tranen in haar ogen. Zij had ook zo'n kindje kunnen hebben. Zij had ook kunnen ervaren hoe het voelde om moeder te zijn. Zij had ook samen met Rob een gezin kunnen hebben. In plaats daarvan was het Franka die alles bezat. De hartsvriendin die vroeger haar vriendin was geweest, de echtgenoot die haar ontnomen was en het kindje waar Maaike zo innig naar had verlangd. Plotseling voelde ze een bijna onbedwingbare neiging om dat geluk kapot te slaan. Waarom moest Franka alles hebben terwijl zij niets meer bezat?

„Vind je haar niet prachtig?" vroeg Franka met een trotse klank in haar stem. „O Maaik, je hebt geen idee hoe gelukkig ik ben met haar. Het is zo'n verschil vergeleken met de periode waarin Romy geboren werd."

„Het lachen zal je anders binnenkort wel vergaan," merkte Maaike scherp op.

„Wat bedoel je?" Franka's gezicht trok wit weg. Hulpeloos keek ze om zich heen. Dit had zo dreigend geklonken, zo onheilspellend.

„Wat is dat voor een opmerking?" vroeg Laura verontwaardigd. Ze stond op en pakte Demi van Maaike over. „Als je jaloerse gevoelens opspelen, ga die dan ergens anders botvieren, maar niet hier. Franka is hier vast niet van gediend."

„Ik zeg het heus niet zomaar." Maaike stond nog steeds midden in de kamer en als de godin der wrake stak ze haar vinger uit naar Freek, die nietsvermoedend met de doos geboortekaartjes in zijn handen binnenstapte. „Laat hij het maar uitleggen. Hij weet precies wat ik bedoel."

„Wat is er aan de hand?" vroeg Freek verwonderd. Hij zette de doos neer en liep naar Laura toe om Demi voorzichtig een kus op haar voorhoofd te geven.

„Huichelaar!" Maaikes stem sneed. „Nu speel je de liefhebbende vader omdat er visite bij is, maar ik weet heel goed waar jij mee bezig bent."

„Hou op!" schreeuwde Laura. „Wat ben jij in hemelsnaam aan het doen? Wat heb je hiermee voor?"

„Ik wil alleen mijn zus maar waarschuwen voor wat er zich onder haar neus afspeelt," zei Maaike kil. Ze wendde zich tot Franka. „Het spijt me dat je het van mij moet horen, Franka, maar Freek is niet eerlijk tegen je. Terwijl jij zwanger was van zijn kind is hij een verhouding begonnen met Petra. Ik heb het met mijn eigen ogen gezien, dus hij hoeft het niet te ontkennen. Gisteravond, toen jij hier bij lag te komen van je bevalling, was hij bij haar! Of niet soms?" Ze keek Freek vijandig aan.

Hij bleef stokstijf staan, zijn gezicht bleek vertrokken.

„Is dat waar, Freek?" vroeg Franka ijzig kalm.

„Natuurlijk niet," antwoordde Laura in zijn plaats. „Franka, je gelooft die onzin toch niet? Maaike is stikjaloers. Wat ben je toch een kreng," beet ze haar vroegere vriendin toe.

„Wel een kreng die de waarheid vertelt," zei Maaike snibbig.

„Freek?" vroeg Franka nogmaals.

Hij keek haar aan en knikte langzaam. Het had geen enkel nut om het nu te ontkennen.

„Ik was inderdaad bij Petra, maar ik heb geen verhouding met haar," zei hij zo rustig mogelijk.

Maaike snoof minachtend. „Dan deed je toch een verdomd goede imitatie van iemand die wél een verhouding heeft. Jullie aten elkaar zowat op."

Freek rechtte zijn rug. „Ik weet niet wat jij precies meent gezien te hebben, maar ik ben niet verplicht om verantwoording aan jou af te leggen. Dit zijn zaken die alleen Franka en mij aangaan."

„Behalve dan dat ik nergens vanaf had geweten als Maaike niets had gezegd," zei Franka hatelijk.

„Ik wil dit graag alleen met jou bespreken," zei Freek. Zijn mondhoek trilde en Franka wist dat hij nu de grootste moeite had om zijn zelfbeheersing te bewaren. Ze kende hem zo goed. Ze weigerde echter gehoor te geven aan zijn verzoek. Iets klopte er niet, dat was wel duidelijk. Als er niets achter zijn bezoekje aan Petra stak, had hij het tenslotte gewoon kunnen vertellen.

„Ik heb geen geheimen voor mijn zus en mijn vriendin," zei ze theatraal. „Jij blijkbaar wel. Als je iets te zeggen hebt kun je dat nu doen."

„Ik ga wat doen," zei Ine nerveus. Snel pakte ze de kopjes en schoteltjes bij elkaar en ze vluchtte zowat de huiskamer uit. Dit ging helemaal mis, daar hoefde zij als vreemde geen getuige van te zijn.

„Dat ben ik dus niet van plan," zei Freek nog steeds kalm, maar uiterst gespannen.

„Je hebt gelijk," nam Laura het voor hem op. Ze kwam overeind en begon haar jas aan te trekken. „Dit is iets tussen jullie tweeën. Jij gaat met mij mee," wendde ze zich tot Maaike. Het klonk zo dreigend dat ze niet durfde te weigeren.

Zwijgend bleven Franka en Freek samen achter.

„Ga alsjeblieft zitten," verzocht Franka kort. In haar liggende positie voelde ze zich kwetsbaarder dan ze toe wilde geven, zeker als Freek zo boven haar uit torende. „Wat is er waar van Maaikes beschuldigingen? Lieg niet tegen me, Freek. Ik wil de hele waarheid weten."

„Die had ik je ook willen vertellen, maar niet nu, niet zo vlak na de bevalling. Ik had er liever een paar maanden mee gewacht tot je hersteld bent en gewend bent aan het leven met een baby," zei Freek zacht terwijl hij gehoor gaf aan haar verzoek en tegenover haar in een stoel ging zitten.

„Welke waarheid? Heb je een verhouding met Petra?"

„Nee." Zijn antwoord kwam snel en zonder aarzelen. „Geen verhouding, dat klinkt zo goedkoop. We houden van elkaar."

„En dat noem jij geen verhouding?" vroeg Franka bitter nadat ze dit antwoord had verwerkt.

„Niet in die zin van het woord. We zijn niet met elkaar naar bed geweest, ik heb je niet bedrogen. Mijn gevoelens voor Petra zijn in de loop van de laatste maanden gegroeid en dat blijkt wederzijds te zijn. Gisteravond hebben we met elkaar gepraat."

„Gepraat? Noem je dat tegenwoordig zo?" hoonde Franka.

„Volgens Maaike is er heel wat meer voorgevallen. En niet bepaald discreet ook, als ik het goed begrijp."

136

„Ik heb haar gezoend," gaf Freek toe. „Het was een afscheidszoen. Een tijdelijke afscheidszoen, wel te verstaan. We wilden allebei niet iets achter jouw rug om beginnen, dus hebben we afgesproken alles een tijdje te laten zoals het is voordat we verdere stappen nemen."

„Verdere stappen?" vroeg Franka niet-begrijpend.

„Een scheiding." Hij keek haar recht aan bij dat woord, maar Franka draaide haar gezicht weg. Een scheiding? De gedachten raasden door haar hoofd. Dat zou haar eigenlijk helemaal niet slecht uitkomen. Hun huwelijk stelde allang niets meer voor en zonder Freek in de buurt kon zij zich helemaal op haar dochters richten. Als Romy hoorde dat Freek haar bedroog met háár moeder, zou ze ongetwijfeld haar kant kiezen en wellicht alsnog bij haar en Demi intrekken. Tenslotte was zij, Franka, het slachtoffer in dit verhaal.

„Niet meteen natuurlijk," praatte Freek verder. „Over een tijdje. Wat ik net al zei, als jij helemaal hersteld bent van de bevalling. Het is niet mijn bedoeling om jou overal alleen voor op te laten draaien, Franka. We weten echter beiden dat er tussen ons geen liefde meer is en het heeft geen zin om ons huwelijk voort te laten slepen, daar is niemand bij gebaat. Ook Demi niet. Over een paar maanden zien we wel verder. Je hoeft niet bang te zijn dat ik in die tijd een affaire met Petra begin, dat is onze stijl niet." Moeizaam stond hij op. „Demi moet eten, we praten er nog wel over."

„O nee!" zei Franka fel. Razendsnel had ze haar opties overwogen. „Ik ben niet van plan om maandenlang de schijn op te houden omdat jij niet te boek wilt staan als de man die zijn pas bevallen vrouw in de steek laat, daar voel ik me te goed voor. Je kunt nu onmiddellijk je koffers pakken en vertrekken!"

HOOFDSTUK 14

„Wat?!" Freek kon zijn verbijstering niet verbergen. Hij staarde Franka aan alsof hij haar voor het eerst zag. „Dat meen je niet!"

„O jawel," reageerde ze kalm. „Je bent liever bij haar dan bij mij, zeg je net zelf. Nou, ga dan naar haar toe. Nu."

Freek schudde zijn hoofd. „Ik pieker er niet over. Dit is een hele gecompliceerde situatie, maar geen haar op mijn hoofd heeft eraan gedacht om jou op dit moment van ons leven alleen te laten."

Franka richtte zich nu op. „Freek, het is geen kwestie meer van wat jij wilt. Het gaat nu om wat ik wil en ik wil dat je weggaat. Vandaag nog."

„Je weet niet wat je zegt."

„Integendeel," zei Franka koeltjes. „Als jij inderdaad wilt doen wat voor mij het beste is, dan ga je. Ik kan en wil niet samen met een man in één huis leven die te kennen heeft gegeven dat hij van een ander houdt. Laten we maar meteen door de zure appel heen bijten en een eind aan ons huwelijk maken."

„Franka, handel nou niet zo overhaast," probeerde Freek redelijk te blijven. „Denk na voor je dingen zegt waar je spijt van krijgt. Het is altijd je motto geweest om een dag te wachten met het nemen van verregaande beslissingen, schuif dat nou niet opeens opzij. Ik kan me voorstellen dat je nu zo reageert in de emotie van het moment, maar morgen denk je er ongetwijfeld anders over."

„Dat kan ik me niet voorstellen." Franka bleef afwijzend, wat hij ook probeerde.

„Ik ga niet weg," zei Freek. „Ik laat jou niet alleen met een baby van een dag oud. Ik zou mezelf een schoft vinden als ik dat zou doen."

„Wil je hier soms mee beweren dat je geen schoft bent als je blijft?" beet Franka hem toe. Ze begon nu kwaad te worden en probeerde hem te kwetsen met alle argumenten die ze kon vinden. Als hij maar zou gaan, dat was het enige wat ze nu wilde bereiken. „Ik voel me tot in het diepst van mijn ziel vernederd. Ik kan je niet meer zien, begrijp dat dan! Moet ik nu soms net doen of er niets aan de hand is omdat jij ten opzichte van de buitenwereld net wil doen of je zo'n goede echtgenoot en vader bent? Laat me niet lachen! Ga alsjeblieft weg! Als ik er lichamelijk toe in staat was zou ik zelf je koffers pakken en ze naar buiten smijten."

Hijgend hield ze op met haar tirade. „Ik kan het niet aan om je nog langer om me heen te hebben," vervolgde ze toen zacht.

Freek luisterde zwijgend naar haar, maar na deze woorden kon hij niet anders doen dan opstaan. „Oké," zei hij schor. „Het spijt me, Franka. Meer dan ik zeggen kan. Dit heb ik nooit gewild. Ons huwelijk stelt al lang niets meer voor, maar op deze manier had het niet mogen eindigen."

„Daar had je eerder aan moeten denken," zei Franka met een bittere klank in haar stem. Ze hield haar hoofd afgewend tot hij met gebogen schouders de kamer verliet.

Snel en zonder er echt bij na te denken gooide Freek wat persoonlijke spullen in een grote koffer. Ine gaf inmiddels Demi een fles en een schone luier en ze was daar net mee klaar toen Freek de babykamer in kwam.

„Geef mij haar even," verzocht hij met hese stem. „Ik wil afscheid van haar nemen." Met pijn in zijn hart drukte hij de baby tegen zijn lichaam aan. Zijn leven was ineens in een stroomversnelling geraakt en hij wist zelf niet eens wat hij allemaal voelde. Verdriet, pijn, geluk, schuldgevoel, het was een heel scala aan emoties dat om de voorrang streed. Eén ding stond in ieder geval buiten kijf: zijn liefde voor dit kleine mensje. „Ik ben toch heel blij dat jij er bent," fluisterde hij. „Ik hou van je en ik zal altijd van je houden, ongeacht wat er allemaal gebeurt. We zien elkaar snel weer, lieverd." Teder drukte hij een kus op het wangetje, daarna gaf hij Demi terug aan Ine, die er zwijgend bij stond.

„Gaat u weg?" vroeg ze schuw.

Freek knikte. „Ja, dat is nu het beste. Zorg goed voor Franka en Demi." Zonder verder op of om te kijken pakte hij zijn koffer en liep naar beneden. Met de baby op haar arm staarde Ine hem na. Vanochtend had ze nog bij zichzelf gedacht dat dit zo'n leuk gezin was. Ze had zich nog nooit zo vergist, wist ze nu. De onderhuidse problemen die hier speelden was ze nog niet eerder tegengekomen in haar werk.

„Weet je het heel zeker?" vroeg Freek op dat moment aan Franka.

„Ga alsjeblieft," was het enige wat ze daarop zei. Ze keek hem niet aan, maar hoorde hoe hij wegslofte. Even later klonk het geluid van de buitendeur die in het slot viel en Franka haalde opgelucht adem. Ze kon niet verhinderen dat er een triomfantelijk lichtje in haar ogen verscheen. Freek was weg, nu hoefde ze alleen nog maar te wachten tot Romy kwam. Ze twijfelde er geen moment aan dat zij haar kant zou kiezen. Het kon niet anders of Romy zou Petra en Freek de rug toe keren als ze hoorde wat er aan de hand was. Eindelijk zou haar oudste dochter dan toch helemaal van haar zijn, na al die jaren. Samen met Demi erbij zouden ze een weliswaar ongewoon, maar gelukkig gezinnetje vormen.

Freek bleef even besluiteloos naast zijn auto staan, maar hij wist dat er maar één persoon was waar hij nu naar toe kon gaan. Petra had er recht op te weten wat er speelde en waar hun afscheidskus toe geleid had. Hij moest naar haar toe. Zij was trouwens de enige met wie hij nu kon praten. Hij had zich nog nooit zo verward en ongelukkig gevoeld als op dit moment. Het kwam geen seconde bij hem op dat de weg voor Petra en hem nu vrij was, daarvoor kwam er plotseling te veel op hem af. Dit had hij nooit gewild, hij meende het toen hij dat tegen Franka zei. Ze waren zestien jaar getrouwd geweest en hadden samen een kind, hij kon nu niet net doen of dat verleden er niet was en zich in de armen van een ander storten, hoeveel hij ook van Petra hield.

Petra's ogen gleden meteen naar zijn koffer toen hij even later voor haar deur stond.

„Freek… Hoe…? Wat…?" hakkelde ze.

„Franka heeft me op straat gezet," zei hij zonder enige inlei-

ding. „Ze weet van ons af en wilde dat ik onmiddellijk vertrok. Mag ik binnenkomen?"

„Ja, natuurlijk." Automatisch deed ze een stap opzij. „En
nu?" vroeg ze toen ze in de kamer tegenover elkaar stonden.

„Ik weet het niet." Triest haalde Freek zijn schouders op. Hij
was nog maar een schim van de gelukkige man die gisteravond dit huis verlaten had.

„Wil je...? Ik bedoel, die koffer..." Petra maakte een hulpeloos gebaar naar de grote koffer die tussen hen in stond.

„Het is niet mijn bedoeling om hier te blijven," zei Freek
haastig. „Ik moest naar je toe om te vertellen wat er aan de
hand is, maar ik ben echt niet van plan om meteen bij je in
te trekken of zo. Ik ga voorlopig wel naar een hotel."

„Ga eerst eens rustig zitten en vertel me wat er precies
gebeurd is," verzocht Petra. „Hoe is Franka erachter gekomen?"

„Maaike," zei Freek. Tot in details beschreef hij wat er allemaal voorgevallen was. „En nu ben ik dus bij haar weg," eindigde hij somber.

„Dat is toch wat je wilde?" zei Petra voorzichtig. Ze durfde
niet blij te zijn met deze onverwachte verwikkeling. Vandaag
had ze pas voorzichtig durven dromen over een toekomst
met Freek samen, nu stond die toekomst plotseling op haar
stoep.

„Niet op deze manier. Demi is pas een dag oud, dit is toch
een belachelijke situatie?" Freek wreef vermoeid over zijn
ogen. „Ik weet het allemaal niet meer. Franka weigerde er
normaal over te praten, ze stuurde me zonder meer weg."

„Dat is ergens wel logisch natuurlijk. Dit valt voor haar ook
niet mee. Als Demi er niet geweest was, was je dan bij haar
gebleven?"

„Zonder Demi was Franka nooit op zoek gegaan naar Romy
en had ik jou niet ontmoet. Alles grijpt in elkaar, de ene
gebeurtenis neemt de volgende met zich mee. Waarschijnlijk
hadden Franka en ik nog jaren zo doorgesudderd als Demi
zich niet onverwachts aangekondigd had," antwoordde
Freek eerlijk. „Dat maakt het ook zo verwarrend en moeilijk

te begrijpen, want eigenlijk komt het erop neer dat ik door de komst van Demi bij haar moeder weg ben. Dat rijmt niet met elkaar. Ik heb altijd gehoopt dat ik ooit vader zou worden en ik had me voorgenomen om een goede, leuke vader te zijn. Een vader die betrokken is bij het leven van zijn kind, eentje waar een kind altijd bij terechtkan."

„Het ene hoeft het andere niet uit te sluiten," merkte Petra op. „Ook als gescheiden man kun je veel voor je kind betekenen."

„Als ik daar de kans voor krijg. Franka was onverbiddelijk, ik ben bang dat ze niet toestemt in co-ouderschap of in een bezoekregeling," zei Freek. Hij staarde somber naar de grond.

Petra's hart ging naar hem uit zoals hij daar als een gebroken man zat. Ze stond op, liep naar hem toe en knielde voor hem neer. Met een liefdevol gebaar legde ze haar handen om zijn gezicht heen. „Probeer je geen zorgen te maken over dingen die nog helemaal niet aan de orde zijn," zei ze zacht. „Het komt allemaal goed. Heus, het heeft alleen zijn tijd nodig. Op dit moment zijn zowel jij als Franka niet in staat tot helder nadenken en dat is ook geen wonder. Jullie hele leven staat ineens op zijn kop. Over een paar weken kijken jullie er allebei heel anders tegenaan."

„Denk je dat?"

„Ik weet het zeker. Gun haar en jezelf die tijd en probeer te voorkomen dat het uitdraait op een ordinaire scheiding met talloze verwijten over en weer, want daar heeft niemand iets aan. Ter wille van Demi moeten jullie je hele leven lang door één deur kunnen. Reken haar niet af op haar houding van dit moment."

„Je hebt gelijk." Freek streelde even door Petra's haren en trok haar naar zich toe. „Van één ding zal ik in ieder geval nooit spijt hebben en dat is dat ik jou ben tegengekomen," sprak hij gesmoord in haar hals. „Misschien is dit niet het goede moment om het te zeggen, maar ik hou ontzettend veel van je."

„Ik ook van jou," zei Petra eenvoudig.

142

Ze keken elkaar diep in de ogen en als vanzelf werden hun gezichten naar elkaar toe getrokken tot hun lippen elkaar vonden in een lange, innige kus. Geen van tweeën hoorden ze dat de buitendeur werd geopend, evenmin merkten ze dat Romy de kamer in wilde komen. Bij het zien van het vreemde tafereel op de bank bleef ze stokstijf in de deuropening staan.

„Wat moet dit voorstellen?" riep ze luid en verontwaardigd. Geschrokken lieten Freek en Petra elkaar los. Zo snel als ze kon kwam Petra overeind, haastig haar kleding rechttrekkend. „Dit is niet wat je denkt," zei ze.

Romy snoof minachtend. „Het was anders niet mis te verstaan. Trouwens, wordt dat zinnetje niet altijd gebruikt? Is dat niet net zoiets als de eeuwige smoes van de man dat zijn vrouw hem niet begrijpt?" Bij die woorden wierp ze een vernietigende blik op Freek.

„Laat het ons alsjeblieft uitleggen," verzocht hij nerveus.

„Laat maar." Het sarcasme in Romy's stem was onmiskenbaar. „Ik ben oud genoeg om te weten wat jullie aan het doen waren, tenslotte heb ik het met mijn eigen ogen gezien. Anders zou ik het trouwens niet geloven." Ze draaide zich om en liep weg.

„Romy, kom terug!" riep Petra in paniek. Ze rende achter haar dochter aan en greep haar bij haar arm voor ze de deur uit kon lopen.

„Laat me los!" Romy's stem sneed en onwillekeurig deed Petra wat ze zei.

„Kom binnen en laten we erover praten," smeekte ze.

„Nee, dank je wel. Ik hoef jullie smoesjes niet aan te horen," zei Romy hatelijk. „Dit is echt niet normaal, mam. Freek is verdorie net vader geworden! Franka zit nu thuis met de baby terwijl jullie... Jullie..." Ze was zo overstuur dat ze niet meer uit haar woorden kwam.

„Franka heeft Freek de deur uitgezet."

„Ik kan begrijpen waarom. Is ze hiervan op de hoogte?"

„We hebben geen verhouding samen," haastte Freek zich te zeggen. Hij was achter Petra en Romy aangelopen en stond er hulpeloos naast.

„Nee, dat zag ik," reageerde Romy hatelijk. „Ga me niet vertellen dat mijn moeder je een felicitatiekus gaf ter ere van de geboorte van je dochter."

„Het ligt iets gecompliceerder dan dat. Je moeder en ik houden van elkaar."

Weer snoof Romy. „En ben je daarachter gekomen terwijl je wettige echtgenote lag te bevallen? Bah, ik walg van jullie!"

Zonder dat ze haar nog tegen konden houden stormde ze nu weg, naar buiten. Ze had het gevoel dat ze stikte en wilde alleen maar weg. Petra wilde achter haar aan gaan, maar Freek hield haar tegen.

„Laat haar maar even," adviseerde hij. „Ze is geschrokken en weet niet wat ze ervan moet denken."

„Maar ze is zo overstuur! Ik moet het haar uitleggen," huilde Petra.

„Ze luistert nu toch niet naar je. Laat dit eerst maar even bezinken. Kom, we gaan naar binnen." Met zachte dwang leidde Freek haar naar binnen, uit de ogen van nieuwsgierige buren die voor het raam stonden te kijken. Hij had een gruwelijke hekel aan dergelijke scènes. Petra huilde nog steeds hartverscheurend en zacht wiegde hij haar in zijn armen heen en weer. Waar zijn we aan begonnen, dacht hij somber bij zichzelf. Hij had van het begin af aan geweten dat zijn ontluikende gevoelens voor Petra voor problemen zouden zorgen, maar de consequenties liepen nu wel heel erg uit de hand. Hij verwenste Maaike omdat ze haar mond niet had kunnen houden, maar bovenal verwenste hij zichzelf omdat hij dit niet had kunnen voorkomen. Waarom was hij niet gewoon van Franka blijven houden? Dat had zijn leven een stuk minder gecompliceerd gemaakt. Nu was het één grote puinhoop, ondanks dat hij de liefde van zijn leven in zijn armen hield.

Romy had zonder nadenken een taxi aangehouden en het adres van Franka genoemd. Haar hart stroomde over van medelijden voor haar biologische moeder, die in het kraambed in de steek was gelaten door haar man. En dat dankzij de vrouw die zij altijd als haar eigen moeder had beschouwd! Gezeten op de achterbank sloot Romy haar ogen. Haar adoptiemoeder die de echtgenoot afpakte van haar biologische moeder, het was te bizar voor woorden. Franka moest er nu wel heel erg aan toe zijn. Romy vroeg zich af hoe dit allemaal had kunnen gebeuren en hoe Franka het ontdekt had. Er was in ieder geval heel wat voorgevallen sinds gisteravond, dat was duidelijk. Hoe lang zou het al aan de gang zijn tussen haar moeder en Freek? Ze had de laatste tijd vaker gedacht dat haar moeder verliefd was, maar geen haar op haar hoofd had in dat verband aan Freek gedacht. Hoe had die gedachte ooit in haar op kunnen komen? Freek hoorde bij Franka. Hij had zich opgeworpen als een soort tweede vader voor haar. En hoe, dacht ze nu bitter bij zichzelf. Door een verhouding te beginnen met haar moeder!

Franka zag de taxi aankomen en Romy uitstappen, veel vroeger dan ze had verwacht. De conclusie dat ze Freek bij thuiskomst in haar moeders huis had aangetroffen was niet moeilijk te trekken. Blijkbaar was hij hier vandaan onmiddellijk naar zijn liefje getogen, dacht Franka toch even bitter. Enfin, dat kwam haar eigenlijk wel goed uit. Het scheelde haar in ieder geval een hele uitleg aan Romy. Ze opende de voordeur en onderging zwijgend de omhelzing van haar dochter.

„Ik vind het zo erg voor je," snikte Romy met haar armen om Franka's hals. „Ik wist niet wat ik zag toen ik thuiskwam. Hoe kunnen ze je dit aandoen?"

„Ik weet het niet. Zulke dingen gebeuren gewoon, denk ik." Franka wreef met een vermoeid gebaar over haar ogen. „Ik ben niet de eerste vrouw die door haar man bedrogen is en ik zal ook de laatste wel niet zijn."

„Maar je hebt net zijn kind gekregen!" riep Romy heftig uit. „Bah, ik walg hiervan, weet je dat? Van zowel Freek als mijn moeder had ik dit nooit verwacht."

„Het zijn altijd de mensen waar je het meest van houdt die je ook het meest teleurstellen," wist Franka. „In ieder geval ben ik blij dat jij meteen naar mij toe gekomen bent."

„Natuurlijk. Ik wist niet wat ik zag toen ik thuiskwam. Ik vind dit vreselijk en dat heb ik ze ook gezegd."

„Wat hebben ze je verteld?" wilde Franka weten.

Romy trok met haar schouders. „Niets, maar daar heb ik ze ook niet echt de kans voor gegeven," antwoordde ze eerlijk. „Ik vrees dat ik nogal tekeer ben gegaan. Hoe moet het nu verder? Ik bedoel, ik mag Freek heel erg graag, maar ik kan toch niet net doen of er niets aan de hand is als hij bij ons intrekt? Zie je het al voor je? Freek en ik gezellig in hetzelfde huis wonend terwijl ik weet wat hij jou aangedaan heeft? Het zou constant ruzie worden, vrees ik. Ik haat mannen die er vandoor gaan als de situatie thuis hun niet meer bevalt. Je hoort dat wel vaker. Als er eenmaal een kind is geboren krijgen ze de kriebels en durven ze hun verantwoordelijkheden plotseling niet meer aan. Een andere vrouw is dan dé oplossing. Die begrijpt het tenminste." Dat laatste klonk ronduit sarcastisch.

„Ik weet dat je het tot nu toe niet wilde, maar er is hier altijd plek voor je," zei Franka. „Kijk maar wat je doet. Mij zit je in ieder geval niet in de weg."

„Zoals ik mijn moeder en Freek wel in de weg zou zitten," begreep Romy meteen wat ze bedoelde. Ze trok een gezicht. „Daar ben ik eigenlijk ook wel bang voor, ja. Trouwens, ik ben zo kwaad op hen allebei dat het niet echt verstandig is als ik daar blijf wonen. Ik ben echt woest voor wat ze jou aandoen."

Franka stond op, liep op Romy toe en sloeg haar armen om haar heen. „Dank je wel voor je steun," zei ze geëmotioneerd. „Ik weet niet wat ik zonder jou had moeten beginnen in deze situatie."

„Ik blijf bij je en zal je overal mee helpen," beloofde Romy. Ze zag niet het voldane lachje dat even over Franka's gezicht gleed, daarvoor was ze veel te veel onder de indruk van de hele situatie. Haar hart liep over van medelijden jegens haar biologische moeder, die op zo'n laffe manier in de steek was gelaten terwijl dit een van de gelukkigste periodes uit haar leven had moeten zijn. Ze had geen flauw benul van Franka's werkelijke gevoelens. Terwijl Romy kwaad en verdrietig was over alles wat er was gebeurd, was Franka alleen maar blij en opgelucht. Het had precies zo uitgepakt als ze gewild had. Van nu af aan was Romy van haar en had Petra het nakijken.

HOOFDSTUK 15

Net nadat Romy een beetje kalmer was geworden en ze koffie had ingeschonken, weerklonk de deurbel door het huis. „Ik ga wel!" riep ze naar Franka die boven bezig was om Demi te verschonen.

Het was Arjan, met een enorme bos bloemen in zijn armen. „Zo dochter," begroette hij Romy lachend. „Hebben Freek en Franka jou gestrikt om 's avonds de taak van de kraamverpleegster over te nemen? Ik hoop dat je niet al te streng bent en ik toch binnen mag komen, ook al heb ik geen afspraak gemaakt voor het kraambezoek. De rest van de week heb ik heel weinig tijd en ik wilde ze toch graag even persoonlijk feliciteren met hun nieuwe aanwinst. Freek zal wel in de wolken zijn." Hij grinnikte, maar stokte bij het zien van Romy's gezicht. „Wat is er aan de hand?" viel hij zichzelf in de rede. „Is er soms iets niet goed met de baby?"

„Nee, met de baby is alles in orde," haastte Romy zich hem te verzekeren. „En Freek zal inderdaad wel in de wolken zijn, maar niet vanwege Demi. Hij heeft vandaag zijn echtelijke woning verlaten om bij zijn nieuwe liefje in te trekken." „Wat? Dat meen je niet! Freek?" Arjan keek haar ongelovig aan. Ondertussen waren ze het halletje ingelopen en Romy sloot zorgvuldig de buitendeur achter hen. „Dat is toch helemaal niets voor hem?"

„Dat dacht ik ook, maar van de vrouw met wie hij Franka bedrogen heeft had ik ook een veel hogere pet op," zei Romy bitter.

Arjan had geen verdere aanwijzingen nodig. „Mama?" vroeg hij. Op haar bevestigende antwoord knikte hij nadenkend. „Dan heb ik dat toch goed gezien," mompelde hij.

„Bedoel je dat je hier vanaf wist?" vroeg Romy vol afgrijzen. „Nog even en dan ga je me vertellen dat je het ook nog goedkeurt."

„Ik wist niets, ik vermoedde het alleen," verbeterde Arjan haar. „Ik heb vaker gemerkt dat het heel goed klikte tussen die twee. En goedkeuren, ach…" Hij zweeg even. „Laten we niemand veroordelen voor we het hele verhaal kennen," merkte hij toen verstandig op. „Freek en mama zijn allebei niet de types om moedwillig iemand te belazeren of om stiekem te doen. Er zal ongetwijfeld meer meespelen dan wij denken. We zien alleen maar de buitenant, weten er het rechte nog niet van."

„Ik zag ze anders middenin een zeer intieme omstrengeling," zei Romy scherp.

„Jou kennende heb je ze daarna niet de kans gegeven om iets uit te leggen, maar heb je onmiddellijk je conclusies getrokken."

„Wat had ik anders kunnen doen? Het was overduidelijk. Trouwens, Freek heeft zelf gezegd dat hij van mama houdt en dat Franka hem om die reden op straat heeft gezet."

„Wat niet automatisch inhoudt dat ze Franka willens en wetens bedrogen hebben. Wat ik net al zei, we kennen nog niet het hele verhaal."

„Je klinkt alsof je het wel best vindt zo. Vind jij het niet erg dat mama iemand anders heeft?" wilde Romy weten.

Arjan reageerde oprecht verbaasd op die vraag. „Waarom zou ik dat erg vinden? Je moeder en ik zijn heel goede vrienden tegenwoordig, maar meer is er allang niet meer tussen ons. Ik moet er niet aan denken om weer met haar samen te zijn. Dat weet je toch? Je hebt toch niet echt verwacht dat wij ooit weer bij elkaar zouden komen?"

Romy schokschouderde. „Niet echt verwacht, wel gehoopt," bekende ze kleintjes.

„Dat kun je dan beter voorgoed uit je hoofd zetten," zei Arjan hard, maar eerlijk. „Dat is voorgoed verleden tijd. Als ik ooit nog eens trouw moet het met een heel andere persoonlijkheid zijn." Dat zijn gedachten daarbij uitgingen naar Franka verzweeg hij voor zijn dochter. Dat was iets wat hij zelf diep in zijn hart hoopte en over fantaseerde, niet iets wat hij met een ander kon delen. Zeker niet met Romy, die al genoeg van slag was door alle gebeurtenissen. Hij kon moeilijk bekennen dat de breuk tussen Freek en Franka hem heel goed uitkwam. Als ze er zelf maar niet al te verdrietig onder was, want hij bleef liever zijn hele leven alleen dan haar ongelukkig te weten. „Hoe is het met Franka?" vroeg hij als vervolg op die gedachten.

„Het lijkt wel of ze het niet helemaal beseft," antwoordde Romy nadenkend. „Ze was niet echt bijzonder van slag of zo, wat je toch eigenlijk wel mag verwachten onder deze omstandigheden. Ik denk dat ze de klap nog wel krijgt."

„Of niet. Als een situatie uitzichtloos is, voert opluchting meestal de boventoon als de beslissing eenmaal gevallen is."

„Ik heb nooit de indruk gekregen dat hun huwelijk uitzichtloos was."

„Ik wel. Maar goed, laten wij daar niet over gaan discussiëren. Waar is ze?"

„Boven, in de babykamer. Wil je koffie?"

„Schenk maar vast in, ik ga eerst even naar Franka toe." Arjan duwde Romy de bos bloemen in haar handen. „Wil jij die dan even in een vaas zetten?"

Met twee treden tegelijk nam hij de trap. Franka zat in de grote leunstoel in de babykamer Demi de fles te geven. Ze keek aangenaam verrast op bij zijn binnenkomst.

„Ik vroeg me al af wie er aanbelde. Je hebt zeker eerst met Romy gepraat?" vroeg ze.

Arjan knikte. „Ze heeft me verteld wat er aan de hand is. Hoe voel je je?"

„Dat weet ik eigenlijk niet zo goed," antwoordde Franka behoedzaam. Ze kon hem moeilijk vertellen dat ze eigenlijk heel blij was met deze gang van zaken. Sinds Freek die middag de deur van hun woning achter zich had dichtgetrokken leek het wel of er een zware last van haar af was gevallen en nu Romy openlijk haar kant had gekozen voelde ze zich ronduit gelukkig. Dat openlijk toegeven aan de buitenwereld was echter heel iets anders. Romy mocht geen redenen krijgen om op haar besluit terug te komen nu ze had gezegd dat ze hier wilde blijven wonen. „Leeg, verdrietig," zei ze dan ook.

„Zo zie je er niet uit." Peilend keek Arjan haar aan.

„Ik zie er nu waarschijnlijk uit als een vrouw die net beval len is en al twee nachten amper heeft geslapen," zei Franka vinnig.

„Nee, meer als iemand die weliswaar moe, maar toch gelukkig is." Arjan grinnikte. Hij was allang blij dat hij dit constateerde. Dat Franka niet diep ongelukkig was met het vertrek van Freek maakte de zaken wat hem betrof alleen maar eenvoudiger. „Zeg eens heel eerlijk, ben je ook niet opgelucht dat de kogel nu door de kerk is? Ik heb nooit het gevoel gehad dat jullie huwelijk heel erg gelukkig was."

Franka keek in zijn warme ogen en capituleerde. Tegen Arjan kon ze niet liegen. Hij had haar van het begin af aan goed doorgrond en begrepen.

„Er zijn me wel eens ergere dingen overkomen dan dit," gaf ze toe. „Freeks aanwezigheid benauwde me de laatste tijd alleen maar, dus toen Maaike me vertelde dat ze hem en Petra samen had gezien was dat een prima aanleiding om spijkers met koppen te slaan."

„Weet hij dat je er zo over denkt?" vroeg Arjan.

„Demi heeft haar fles leeg, zullen we naar beneden gaan?" stelde Franka voor, expres een antwoord omzeilend. „Romy zal zich wel afvragen waar we blijven."

Niet dus, beantwoordde Arjan zijn vraag voor zichzelf. Voor zover hij Freek kende zat die nu met een enorm schuldgevoel ten opzichte van zijn wettige vrouw, die net zijn kind gekregen had. Maar goed, dat waren zijn zaken niet. Hij voelde zich niet geroepen om Freek precies te gaan vertellen hoe de zaken er hier voor stonden, al was hij ook niet van plan om erover te liegen als Freek ernaar zou vragen. Met een licht gevoel in zijn hart droeg hij Demi voor Franka de trap af.

„Jullie koffie is helemaal koud geworden," zei Romy verwijtend. „Waar bleven jullie nou?"

„We hadden iets te bespreken," zei Arjan. Hij keek Franka bij die woorden glimlachend aan en zij sloeg blozend haar ogen neer.

Romy keek nadenkend van de een naar de ander terwijl een onbehaaglijk gevoel haar overviel. Franka en haar vader?

Was dat werkelijk mogelijk? Gisteren zou ze deze gedachtegang absurd hebben gevonden, maar na alles wat er vandaag voorgevallen was keek ze nergens meer van op. Haar naïviteit op dat gebied was in ieder geval in één klap verdwenen. Het feit dat hij getrouwd was, had Freek er ook niet van weerhouden om iets met een ander te beginnen. Waarom zou Franka anders in elkaar steken? Een huwelijk was geen garantie dat mensen geen gevoelens voor anderen konden ontwikkelen, dat was wel weer gebleken.

Ze hield Arjan en Franka de rest van de avond scherp in de gaten en merkte op hoe zorgzaam haar vader zich gedroeg. Hij wiegde Demi heen en weer tegen zijn borst aan toen ze begon te huilen.

„Dat heb je vaker gedaan," merkte Franka waarderend op.

„Natuurlijk, vroeger met Romy. Zij had ook steevast 's avonds een huiluurtje en dan nam ik haar lekker bij me. Ik was de enige die haar stil kon krijgen," vertelde Arjan trots. „Net zoals nu, zie je? Nog even en dan slaapt ze." Demi had langzaam het huilen gestaakt en leunde nu tevreden tegen zijn schouder aan.

„Je bent geweldig," prees Franka lachend. „Kan ik je niet inhuren?"

„Natuurlijk, voor jou ben ik altijd beschikbaar," lachte Arjan terug. Romy zag de blik die hij daarbij op Franka wierp en ze kreeg het koud van binnen. „Je kunt trouwens wel merken dat ze een zus van Romy is," vervolgde Arjan. „Die reageerde altijd precies zo als ik haar bij me nam. Typisch dat ik nu, eenentwintig jaar later, weer met een dochter van jou in mijn armen sta. Wie had dat toen kunnen denken?"

„Het leven kan raar lopen, ja," zei Romy vinnig. „Kijk maar naar wat er nu om me heen gebeurt. Ik kan niet zeggen dat ik veel van de volwassenen om me heen begrijp. Ik ga naar bed. Welterusten." Zonder op antwoord te wachten liep ze de kamer uit.

In de logeerkamer, die Franka volledig naar haar smaak had ingericht, liet ze zich uitgeput op de rand van het bed zakken. Het duizelde haar zo langzamerhand. Het begon erop te lijken dat haar ouders bezig waren met een spelletje stuivertje verwisselen en ze had er totaal geen behoefte aan om daar toeschouwer bij te zijn. Ondanks dat haar ouders gescheiden waren had ze zich altijd veilig en geborgen gevoeld bij hen allebei, maar dat gevoel van geborgenheid was ze nu in één klap kwijt. Ze begreep er niets meer van. Freek met haar moeder, Franka met haar vader, waar waren ze in hemelsnaam mee bezig? Had ze maar nooit dat onzalige plan opgevat om haar biologische moeder te zoeken, dat was dit allemaal niet gebeurd. Dan had ze nu nog steeds de hoop gekoesterd dat haar ouders weer bij elkaar zouden komen. Dat was iets wat ze nu in ieder geval kon vergeten, dat had haar vader haar net goed duidelijk gemaakt. Op zich kon ze daar nog wel vrede mee hebben, maar wat zich nu afspeelde ging haar boven haar pet. Ze deden allemaal wat ze wilden en niemand hield rekening met haar gevoelens, dacht Romy opstandig bij zichzelf. Als ze maar niet dachten dat zij dan nog langer rekening met haar ouders zou houden. Ze zou zo snel mogelijk eigen woonruimte zoeken en verhuizen, nam ze zich voor. Franka had wel gezegd dat ze hier mocht wonen, maar op deze manier zag Romy dat niet zo zitten. Dan moest zij zeker toekijken hoe haar vader en Franka voor tortelduifjes speelden! Ze rilde van afschuw bij dat idee. Ze wilde überhaupt geen getuige zijn van ontluikende gevoelens en nieuwe liefdes, niet bij haar vader en niet bij haar moeder. Plotseling had ze het gevoel dat ze nergens meer thuishoorde en dat was ongekend voor Romy. Eenzaamheid was haar vreemd, maar nu ervaarde ze het voor het eerst.

Ze kleedde zich uit en stapte haar bed in, maar van slapen kwam weinig die nacht. Rusteloos woelde ze door het brede bed en de keren dat ze indommelde werd ze met een schok weer wakker.

De volgende ochtend voelde ze zich geradbraakt, hoewel ze dat niet aan Franka wilde laten merken. Ze wist zeker dat die dan voor zou stellen dat ze die dag thuisbleef en daar had Romy helemaal geen zin in. Het kostte haar al moeite genoeg om normaal tegen haar te doen. Ze voelde zich ontheemd, ontdekte ze. Dat was het juiste woord. Alsof ze plotseling nergens meer bij hoorde.

Op de normale tijd ging ze de deur uit, maar eenmaal uit het zicht van het huis belde ze haar werkgever met de mededeling dat ze ziek was en niet kon komen werken. Ze moest er niet aan denken om de hele dag lief en aardig tegen de klanten te doen en een opgewekt gezicht op te moeten zetten. Doelloos liep ze later door het centrum heen. Wat nu? Tot normaal werken voelde ze zich niet in staat, naar huis gaan wilde ze niet omdat ze bang was haar moeder of Freek daar aan te treffen en naar Franka wilde ze nu al helemaal niet omdat ze op dit moment geen confronterend gesprek aan durfde te gaan. In een klein restaurantje bestelde ze een kop koffie en toen ze afrekende zag ze in haar portemonnee een klein, opgevouwen briefje zitten. Lang staarde ze naar het adres dat erop vermeld stond, in een stad dertig kilometer hier vandaan. Het toenmalige adres van haar biologische vader. Franka had het op haar verzoek gegeven, maar tot nu toe had Romy er nog niets mee gedaan. Ooit wilde ze haar biologische vader opzoeken, als de tijd er rijp voor was. Misschien was dat nu wel. De twee ouderparen die ze hier had, hadden het nu te druk met andere zaken. Wellicht kon ze bij haar echte vader wél terecht met haar gevoelens. Het besluit was snel genomen. Het station was vlakbij, dus binnen een uur kon ze bij het bewuste adres zijn, dan zag ze daar wel of hij er nog woonde of niet. Veel beters had ze nu toch niet te doen.

Ineens had ze haast. Snel en doelbewust liep ze de richting van het station uit, maar voor ze de hal kon betreden hoorde ze luid haar naam roepen.

„Hé Romy, wacht even!"

Het was Timo, zag ze. Dat vervelende neefje van Heidi. Hoewel ze eigenlijk helemaal geen zin had in een gesprek met hem, bleef ze toch staan.

„Zo meid, ga je lekker op stap?" vroeg hij grijnzend. „Je hebt gelijk, dat is veel leuker dan werken."

„Ik heb een vrije dag," loog Romy.

„Dan heb je vast wel tijd om met mij samen een kop koffie te drinken," meende hij opgewekt. Voor ze kon protesteren had hij haar al aan haar arm meegetrokken naar de stations-restauratie. Gelaten liet ze het gebeuren. Wat maakte het ook eigenlijk uit? Ze had toch weinig te doen vandaag. Het opzoeken van het adres van haar vader kon net zo goed een uurtje later.

„Wat voor snode plannen had je voor vandaag?" informeer-de Timo toen ze even later allebei met een beker koffie voor zich aan een formica tafeltje zaten.

„Ik ga mijn vader opzoeken," flapte Romy eruit. Het was niet haar bedoeling om haar plannen wereldkundig te maken, maar ze had antwoord gegeven voor ze er erg in had.

„Je vader? Die woont hier toch vlakbij?" reageerde Timo ver-baasd.

„Mijn échte vader. Mijn biologische vader dus," verduidelijk-te Romy. „Hij woont hier dertig kilometer vandaan, dus met de trein ben ik er zo."

„Jammer dat ik geen auto heb, anders had ik je gebracht. Hoe kom je daar eigenlijk zo ineens bij? Ik wist niet dat je contact met hem hebt."

„Heb ik ook niet," bekende Romy. „Ik weet niet eens of hij nog op dat adres woont." Nu ze er toch over sprak, bleek het ineens erg prettig te zijn om haar hart te luchten tegenover iemand die er niet zo dichtbij stond. Timo leek oprecht geïn-teresseerd in haar verhaal en eenmaal begonnen kon Romy er niet meer mee ophouden.

„Ze hebben dus stuivertje gewisseld," grinnikte Timo. Hij leek de lol er wel van in te zien. „Bekijk het van de zonnige kant, Romy. Je hoeft in ieder geval niet te wennen aan de nieuwe partners van je ouders. Je kent ze al."

„Je doet er wel erg luchtig over," zei Romy stroef. Ze begon al spijt te krijgen van haar impulsiviteit.

„Wat wil je dan dat ik doe? Met je mee huilen? Sorry hoor, daar zie ik het nut niet van in. Wees blij dat je ouders geluk-kig zijn, ongeacht met wie," meende Timo praktisch.

„Dat is wel een erg makkelijke manier van denken." Romy stond op. „Ik moet gaan."

„Op zoek naar je vader. Wat denk je eigenlijk bij hem te vinden? Denk je werkelijk dat hij je met open armen ontvangt en er een scène volgt zoals die gebruikelijk is bij al die tv-programma's die over dit onderwerp gaan? De grote verzoening?" Timo trok een cynisch gezicht. „Meid, laat het toch gaan. Je vader is niet geïnteresseerd in je, dat heeft hij voor je geboorte al laten merken. Ouders, je hebt er niets dan last van."

„Zo denk jij er misschien over, maar niet iedereen steekt zo in elkaar." Vanuit haar staande positie keek Romy laatdunkend op hem neer.

„Jij bent op dit moment anders ook niet zo gelukkig met ze," merkte Timo terecht op.

Romy gaf geen antwoord meer en draaide zich zwijgend om. Resoluut liep ze de richting van het juiste perron op, zonder nog om te kijken.

„Je weet me te vinden als je straks diepbedroefd terugkomt," riep Timo haar nog na. „Ik wil je met alle liefde troosten." Hij grinnikte om zijn eigen grapje.

Met opgeheven hoofd liep Romy verder, ze deed net of ze hem niet gehoord had. Wat verbeeldde die ingebeelde kwast zich wel niet, dacht ze nijdig bij zichzelf. Dacht hij nou werkelijk dat ze behoefte had aan zijn gezelschap? Ze had er allang spijt van dat ze hem in vertrouwen genomen had. Alles waar zij zo mee worstelde, beschouwde hij als een goede grap. Waarschijnlijk had ze beter haar mond kunnen houden, maar het was eruit geweest voor ze er erg in had. Ze was er dan ook zo mee bezig dat het haar gedachten compleet beheerste. Alles draaide voortdurend om het feit dat Freek Franka had verlaten voor haar moeder en dat haar vader zich gedroeg als een verliefde tiener als hij bij Franka in de buurt was. Ze kon het niet plaatsen en al evenmin objectief bekijken. Heel haar vertrouwde wereld zoals ze die kende stortte in elkaar. Haar besluit om contact te zoeken met haar biologische moeder had in ieder geval verstrekkende gevolgen gehad, veel meer dan ze destijds had kunnen vermoeden. Wat zou het contact met haar vader haar brengen? Zo piekerend staarde Romy uit het raam van de trein. Ze zag niets van het landschap dat aan haar voorbij trok, haar gedachten werden te veel in beslag genomen door andere zaken. Ze vroeg zich af wat haar aan het einde van de rit te wachten stond.

HOOFDSTUK 16

Hoewel het koud was, scheen er een zonnetje en was de lucht strakblauw. Romy besloot, na grondige bestudering van de stadsplattegrond, dan ook om te gaan lopen naar het bewuste adres. Het zou haar een kwartiertje kosten, schatte ze.

Twintig minuten later liep ze de straat in die op het briefje in haar tas vermeld stond. Het was een brede laan met grote, oude huizen, allemaal met een ruime voortuin en een eigen inrit. Aan weerskanten van de laan stonden hoge, brede bomen. Langzaam zocht ze het betreffende huisnummer, zonder na te denken over wat haar daar te wachten kon staan. Op de inrit van het huis waar ze naar op zoek was stond een oudere man zijn auto te wassen. Op dat moment was Romy dankbaar voor de brede bomen, waar ze zich achter kon verschuilen terwijl ze tegelijkertijd de man op kon nemen. Het interesseerde haar niet of ze een vreemde indruk maakte op de andere bewoners van de statige laan. Ze hield haar adem in toen ze de man bestudeerde. Zou dit werkelijk haar vader zijn? Hij moest nu eenenvijftig jaar zijn, deze man leek tien jaar ouder. Toch had hij trekken in zijn gezicht die haar deden denken aan de foto die Franka van hem had laten zien. Maar dat was een foto van ruim twintig jaar geleden, hoe betrouwbaar was dat? Zou ze gewoon op hem afstappen en vragen of hij Eric Haaksbergen was? Maar wat dan? Stel dat hij bevestigend antwoordde, dan kon ze hem toch moeilijk spontaan om de hals vallen en 'pappie' roepen. Onwillekeurig lachte ze even bij dat idee. Het zou in ieder geval wel een entree zijn om nooit meer te vergeten! In ieder geval moest ze iets doen, ze kon hier toch moeilijk een uur blijven staren. Ze kon minstens vragen wie hij was, hoe het gesprek dan verder verliep zag ze daarna wel. Dat soort dingen kon je toch niet plannen.

Net toen ze genoeg moed had verzameld om naar hem toe te gaan, werden de openslaande deuren vanuit het huis geopend en verscheen er een tengere vrouw in de voortuin.

„Eric, stop je er zo mee?" riep ze op een bezorgde toon. „Je weet wat de dokter gezegd heeft. Je mag je nog niet te veel inspannen."

„Als ik helemaal niets meer mag doen kun je me net zo goed meteen wegbrengen," antwoordde de man narrig.

„Hou je nu maar aan de voorschriften, des te eerder ben je weer de oude. Kom je zo binnen? Ik heb thee gezet."

Hij mompelde iets wat Romy niet kon verstaan, maar maakte geen aanstalten om zijn klus te staken. Opnieuw werd de spons ondergedompeld in de emmer sop, waarna hij hem met lange, krachtige halen over het dak van zijn wagen heen haalde.

Eric, had die vrouw gezegd, realiseerde Romy zich. Dan was deze man dus inderdaad haar vader! Het zou een te groot toeval zijn als dit iemand anders was met dezelfde voornaam, hoewel dat natuurlijk wel een mogelijkheid was. Aarzelend liep ze nu in de richting van het huis. Tot nu toe had ze eigenlijk nooit aan een echtgenote gedacht. Maar natuurlijk had hij een vrouw. Hij was getrouwd en had kinderen, dat was de reden dat hij Franka in de steek had gelaten toen ze zwanger bleek te zijn. Het werd hem toen te heet onder zijn voeten. Behalve twee biologische ouders, twee adoptiefouders en een piepklein halfzusje had ze dus nog meer halfbroers en zussen. Een onwerkelijk idee.

„Meneer Haaksbergen?" vroeg ze toen ze de man genaderd was. „Bent u Eric Haaksbergen?"

„Wat moet je van me?" Hij draaide zich om en nam haar van top tot teen op, met een blik die Romy niet bepaald aangenaam vond. Hij maakte op haar een norse, chagrijnige indruk. Een man die gewend was anderen af te blaffen, altijd zijn zin te krijgen en dacht dat hij zich alles kon veroorloven. In slechts enkele seconden lukte het Romy om deze inschatting te maken en dat stemde haar niet bepaald blij. Ze had iets anders gehoopt.

„Als je voor een enquête komt, heb ik geen belangstelling," zei hij kortaf toen ze bleef zwijgen. Hij keerde haar zonder meer de rug toe en ging verder waar hij mee bezig was.

Romy rechtte haar rug, een onberedeneerde woede maakte zich van haar meester. Zo liet ze zich door niemand behandelen, zelfs niet door de man die haar verwekt had! Ze liet hierdoor alle tact en omzichtigheid varen.

„Ik ben Romy van Roodenburg," zei ze op luide, hoge toon. „Die naam zegt u waarschijnlijk niets, maar ik ben de dochter van Franka den Hollander. U bent mijn vader."

De hand met de spons bleef één moment stil boven de wagen hangen voor hij schijnbaar onverstoorbaar verder ging. Romy had het echter gezien en het bezorgde haar een stille triomf. De naam Franka den Hollander zei hem wel degelijk iets, dat was duidelijk.

„Dan bent u hier verkeerd," zei hij kort.

„Dat denk ik niet. U bent toch Eric van Haaksbergen?" hield Romy vol.

„En wat dan nog?" Opnieuw draaide hij zich om en keek haar aan, met zijn ogen half dichtgeknepen. „Luister jongedame, hier ben ik niet van gediend. Als je niet gauw weggaat bel ik de politie."

Romy lachte honend. Dit gesprek ging een heel andere kant uit dan ze zich in haar stoutste dromen voor had kunnen stellen, maar ze was absoluut niet van plan om zich te laten intimideren.

„Dat is mooi, dan kan ik meteen aangifte doen van misbruik van een minderjarige," beet ze fel terug. „Mijn moeder was vijftien toen u haar met uw mooie praatje verleidde. En voor zover ik nu kan beoordelen bent u niets veranderd sinds die tijd. Nog steeds weigert u uw verantwoordelijkheid onder ogen te zien. Ik ben uw dochter, of u dat nu leuk vindt of niet. Ik ben er in ieder geval niet blij mee."

„Wat doe je hier dan?" Hij hijgde nu licht. Zijn gezicht was bleek geworden en er verschenen kleine zweetdruppeltjes op zijn voorhoofd, ondanks de kou. „Ik heb iets met ene Franka gehad, ja, maar dat is een mensenleven geleden. Dat geeft jou geen enkel recht om zomaar mijn leven binnen te stappen en het overhoop te gooien. Ga weg. Ik wil niets met je te maken hebben."

„Bang voor de mening van de buitenwereld?" vroeg Romy sarcastisch. „Als je het niet ziet en er niet over praat, bestaat het niet. Struisvogelpolitiek noemen ze dat. Maar ach, wat had ik anders kunnen verwachten van een man die zijn vrouw bedroog met een jong meisje en die haar vervolgens tot een abortus wilde dwingen? U bent een lafaard!" Haar stem droop van minachting.

„Ga weg," herhaalde Eric van Haaksbergen. Hij wankelde tegen zijn auto aan, zijn rechterhand ging naar zijn borst.

„Eric?" klonk een bezorgde stem achter hen. Dezelfde vrouw van daarnet kwam de tuin in lopen, ze keek ongerust van haar man naar het vreemde meisje. „Wat is er aan de hand? Voel je je niet goed?"

Hij antwoordde niet, maakte slechts een vaag gebaar met zijn hand.

„Kom mee naar binnen, opwinding is helemaal niet goed voor je." Ze sloeg haar arm om hem heen en leidde hem het huis in, zonder naar Romy te kijken.

Ze bleef verbijsterd staan. Was dit het nu, de hereniging met haar biologische vader? Ze lachte even bitter. Ze had zich nog nooit eerder zo klein en onbetekenend gevoeld. Langzaam draaide ze zich om, met tranen in haar ogen. Over een desillusie gesproken! Natuurlijk had ze geen innige, liefdevolle verzoening verwacht, maar dit was het andere uiterste. Verblind door tranen liep ze lusteloos weg. Op de hoek van de laan was een koffiehuis gevestigd en automatisch liep Romy door de brede deuren naar binnen. Ze was hard toe aan een beker sterke, hete koffie voor ze de terugreis aanvaardde. Er waren geen andere klanten aanwezig, desondanks nam ze plaats aan een tafeltje zo ver mogelijk in een hoek. Ze had net de bestelde koffie voor zich staan toen de deur opnieuw werd geopend en er een vrouw binnenkwam die aarzelend om zich heen keek. Tot haar grote verbazing herkende Romy de echtgenote van Eric van Haaksbergen. Ze stevende recht op Romy af toen ze haar in het vizier kreeg en ging onuitgenodigd tegenover haar zitten.

„Sorry voor daarnet," viel ze met de deur in huis. „Mijn man is pas erg ziek geweest en mag zich absoluut niet opwinden. Zijn hart..." Ze maakte een vaag gebaar. „Ik kreeg de indruk dat uw bezoek hem geen goed deed, daarom bracht ik hem eerst naar binnen. Gelukkig zag ik dat u hier naar binnen ging."

„Weet u wie ik ben?" vroeg Romy zich hardop af. Ze was nog steeds niet van haar verbazing bekomen.

De vrouw schudde haar hoofd, maar er verscheen een trieste blik in haar ogen. „Officieel niet, maar ik hoef u alleen maar aan te kijken om de waarheid te zien. U lijkt sprekend op hem."

„Ik ben zijn dochter."

„Daar was ik al bang voor. Mag ik vragen hoe oud u bent?"

„Ik ben pas eenentwintig geworden."

Weer knikte ze, bedachtzaam nu. „Net iets jonger dan ons jongste kind. Dus toch."

„Wat bedoelt u daarmee?" wilde Romy weten.

De vrouw haalde diep adem. „Ik heb heel lang mijn vermoedens gehad en die blijken nu dus uit te komen. Je moeder ken ik niet, maar ik weet wel dat zij niet de enige vrouw was voor Eric. Net zomin als ik de enige voor hem was, ook al zijn we getrouwd. Iets als dit moest een keer gebeuren, dat was onvermijdelijk."

„Hoe kunt u zo leven?" vroeg Romy verbijsterd. De hele situatie begon steeds meer te lijken op een slecht toneelstuk.

„Ach." Met een triest gebaar trok Madelon van Haaksbergen haar schouders op. „Ik hou van hem," was haar simpele verklaring.

„Maar dan nog." Romy schudde vol afschuw haar hoofd. „Maakt liefde echt alles goed? Zijn gedrag was ronduit onbeschoft te noemen. Niet alleen vandaag, maar vroeger ook. Mijn moeder was nog een kind en diep onder de indruk van de charmante, oudere man die aandacht aan haar besteedde. Toen bleek dat ze zwanger was heeft hij haar pas verteld dat hij getrouwd was en een gezin had. Hij eiste dat ze abortus moest laten plegen en heeft haar laten vallen als een baksteen. Een kind van vijftien! Hoe kun je als vrouw met enig zelfrespect van zo'n man houden?"

Madelon kromp enigszins in elkaar bij deze rechtstreekse, harde beschuldigingen. „Je bent nog zo jong, je begrijpt niet alles van liefde," zei ze zacht.

„Ik begrijp in ieder geval dat uw man een schoft is die zijn vrouw regelmatig bedrogen heeft en die weigert ook maar één seconde de verantwoordelijkheid voor zijn daden te nemen."

„Als je er zo over denkt snap ik niet wat je hier komt doen." De grote, blauwe ogen van Madelon werden nu beschuldigend naar Romy opgeheven. „Je vader is niet onbemiddeld. Is het je om zijn geld te doen?"

„Beslist niet. Ik hoopte… Ach, wat maakt het ook eigenlijk uit? Iedereen kan fouten maken, zeker als je jong bent, maar het is wel gebleken dat hij geen spat veranderd is vergeleken met eenentwintig jaar geleden."

„Niet alles is zo zwart-wit als jij het ziet. Er bestaan nuances."

„Wat heb ik daaraan? Hij is mijn vader, maar als zodanig is hij een grote mislukkeling. Hij wil niets met me te maken hebben," zei Romy bitter.

„Laat hem met rust," verzocht Madelon dringend.

„Heeft hij je achter me aan gestuurd om dat te zeggen?" vroeg Romy sarcastisch.

„Nee, hij weet niet wat ik nu aan het doen ben. Ik vraag dit voor mezelf. We hebben een zware tijd gehad, hij heeft op het randje van de dood gezweefd. Ik wil hem niet alsnog verliezen door spoken uit het verleden."

„Dus zo word ik beschouwd? Een spookbeeld?" Romy beet op haar onderlip. „Dank je wel, erg subtiel. Nou, je kunt hem geruststellen en zeggen dat ik nooit meer iets van me zal laten horen. Ik heb voorgoed genoeg van hem. Ik wens je heel veel geluk met hem in je verdere leven." Dat laatste klonk ronduit spottend, maar ze had absoluut geen medelijden met dit tengere vrouwtje. Het was haar eigen keus geweest om met zo'n man samen te leven, oordeelde Romy hard. Wat haar betrof hoefde haar vader heus niet volmaakt te zijn, dat was tenslotte niemand, maar wat ze nu had meegemaakt was wel een erg grote teleurstelling.

Nog lang nadat Madelon terug was gekeerd naar haar huis bleef Romy zitten. Haar gedachten vlogen alle kanten op en ze voelde zich ronduit beroerd. Er was dus totaal niemand die echt bij haar hoorde, dacht ze somber. Haar ouders hadden het allebei te druk met hun eigen liefdesleven, nota bene met haar biologische moeder en diens echtgenoot. En haar biologische vader... Ach, dat was dus een verhaal apart. Aan hem had ze in ieder geval niets, dat was duidelijk. Ze mocht diep dankbaar zijn dat ze geadopteerd was door mensen die wel altijd van haar gehouden hadden en die haar liefdevol hadden grootgebracht, ondanks de problemen die ze zelf in hun huwelijk hadden ondervonden. Met warmte in haar hart dacht Romy aan Arjan, de man die genetisch gezien niets van haar was, maar die zich altijd een echte vader had getoond. Heel iets anders dan de schertsfiguur die zich haar verwekker mocht noemen. Maar toch, de gedachte aan Arjan samen met Franka gaf haar een bittere smaak in haar mond. Het deed haar te veel aan incest denken, al was dat waarschijnlijk een rare vergelijking. Ze gunde iedereen van harte het geluk, maar deze vier mensen stonden te dicht bij haar om dat bij elkaar te vinden. Ze hoorden allemaal bij elkaar, maar niet op deze manier. Dat klopte niet. Het maakte de verwarring, die ze toch al had sinds haar eerste ontmoeting met haar echte moeder, alleen maar groter. Haar gevoelsleven was momenteel één grote puinhoop en de ontmoeting met Eric van Haaksbergen had dat bepaald niet minder gemaakt. Integendeel. Romy had zich nog nooit eerder zo eenzaam gevoeld. Maandenlang had ze zich heen en weer geslingerd gevoeld tussen haar liefde en loyaliteit jegens haar adoptiefouders en de gevoelens voor Franka, die ze graag beter wilde leren kennen. Nu was het ineens net alsof ze er niet meer bij hoorde, of ze slechts een lastig aanhangsel was tussen vier volwassenen die druk bezig waren een nieuw liefdesleven op te bouwen. Een liefdesleven dat trouwens door háár tot stand was gekomen, want als zij er niet was geweest hadden die vier mensen elkaar waarschijnlijk nooit ontmoet. Maar waar bleef zij in dit geheel? Helemaal nergens!

Bij haar moeder had ze zich altijd thuis gevoeld, nu ze echter wist dat Freek bij haar was wilde ze daar niet langer wonen. Franka had haar verzekerd dat ze bij haar meer dan welkom was, maar ook daar twijfelde Romy nu ernstig aan. De blikken die Franka en haar vader hadden gewisseld en de manier waarop ze met elkaar omgingen was voor haar niet mis te verstaan. Daar wilde ze niet bij zitten. Daar hoorde ze niet bij. Ze had zich de vorige avond een gluurder gevoeld in hun aanwezigheid en ze wist dat dat gevoel alleen maar erger zou worden.

Hoewel Romy wist dat Petra, Arjan, Franka én Freek van haar hielden, voelde ze zich op dit punt van haar leven toch alleen staan. Er was niemand die exclusief bij haar hoorde. Petra was weliswaar haar moeder, maar genetisch gezien hadden ze niets met elkaar te maken en dat gold voor Arjan ook. Met Freek had ze van het begin af aan prima op kunnen schieten, maar door hem voelde ze zich nu alleen maar verraden. En Franka... Ach, Franka mocht dan honderd keer haar biologische moeder zijn, zo voelde dat toch niet echt. Ze hadden geen hechte band met elkaar, simpelweg omdat ze elkaar nog te kort kenden. De beroemde moeder-dochterband ontbrak bij hen. Romy had Franka nooit kwalijk genomen dat ze haar had afgestaan, nu merkte ze echter dat er toch wrok bij haar leefde. Ze was indertijd weggegeven als een ongewenst pakketje en nu mocht ze opdraven om Franka door een moeilijke tijd heen te helpen, zo voelde het een beetje. Nou, ze bedankte langer voor de eer!

Plotseling opstandig schoof Romy haar stoel met een ruk naar achteren. Ze zochten het met zijn vieren maar lekker zelf uit, zij weigerde er langer deel aan te nemen. Ze ging zo snel mogelijk eigen woonruimte zoeken. Misschien kon ze tot ze iets gevonden had wel bij Heidi terecht, overwoog ze in de trein terug naar haar eigen woonplaats. Haar flatje was weliswaar piepklein, maar ze was niet veeleisend. Als ze

165

maar een dak boven haar hoofd had tot ze zelf iets kon huren.

Met de bus toog ze naar Heidi's flatje, om daar tot de ontdekking te komen dat er niemand thuis was. Een blik op haar horloge vertelde haar dat het pas halverwege de middag was. Heidi zat uiteraard nog op haar werk. Ze had zoveel indrukken te verwerken gekregen die dag dat het leek of het al heel lang geleden was sinds ze de trein naar haar vaders huis had gepakt, in plaats van slechts enkele uren. Dat deed haar gedachten bij Timo belanden, die haar diezelfde ochtend nog had verzekerd dat ze altijd naar hem toe kon komen als ze daar behoefte aan had. Hoewel ze hem niet bijster graag mocht, leek hij op dat moment een toevluchtsoord. Alles was beter dan nog langer doelloos door de stad heen te slenteren. Ze was doodmoe en verlangde naar rust en gezelschap. Timo zou in ieder geval voor voldoende afleiding zorgen, dat wist ze zeker. Van hem hoefde ze geen ernstige gesprekken of psychologische verhandelingen te verwachten, daar was hij te oppervlakkig voor. Op dat moment vond ze dat alleen maar positief.

Ze keerde zich om en richtte haar schreden in de richting van de straat waarin hij een zolderetage bewoonde. Duizelig van moeheid drukte ze drie keer op de bel die voor hem bestemd was. Het leek een eeuwigheid te duren, maar eindelijk hoorde ze voetstappen op de trap en werd de deur geopend.

„Wel, wel, daar is ze weer," klonk zijn stem licht spottend. Met een weids gebaar zette hij de deur zover open dat ze langs hem heen naar binnen kon lopen. „Welkom in mijn nederige stulpje. Kom binnen en ga lekker zitten, dan maak ik iets te drinken voor je."

Als verdoofd liep Romy de drie trappen op. Hier was ze in elk geval wel welkom, in tegenstelling tot het huis waar ze vandaan kwam. Dat gaf haar een warm, prettig gevoel.

HOOFDSTUK 17

„Het was dus inderdaad een teleurstelling? Precies zoals ik al voorspeld had," concludeerde Timo.

„Ja, je bent goed," reageerde Romy korzelig. „Ik wil er liever niet over praten."

„Ook goed." Nonchalant rekte hij zich uit. „Wat wil je drinken? Ik vrees dat ik niet veel in huis heb. Alleen bier of oploskoffie."

„Laat maar, ik heb net koffie gedronken. Samen met de vrouw van mijn vader. Jammer dat het geen gezellig gesprek was. Ze heeft me dringend verzocht om hem voortaan met rust te laten," zei Romy spottend. „Hij heeft net een hartaanval overleefd en ze is bang dat hij door de opwinding van mijn bezoek alsnog het loodje legt. Alsof hij zoveel gevoel heeft. Die man is keihard en door en door egoïstisch. Hoe heeft mijn moeder ooit iets met hem kunnen beginnen?"

„Voor iemand die er niet over wil praten draaf je aardig door." Ook al had ze geweigerd, toch overhandigde Timo haar een koud flesje bier. Automatisch begon Romy ervan te drinken.

„Het was vreselijk," zei ze nu toch. „Hij keek me aan alsof ik... alsof ik iets was wat onder een steen vandaan kwam kruipen. Zijn eigen vlees en bloed! Dat hij niet direct staat te juichen als zijn onbekende dochter plotseling voor zijn neus staat kan ik nog wel begrijpen, maar dit..." Ze rilde. „Het deed hem echt totaal niets. Hij wil niets met me te maken hebben, klaar uit. Begrijp jij dat nou?"

„Hij kent je niet."

„Hij zal me nooit leren kennen ook, op deze manier. Ik werd door twee mensen vriendelijk doch dringend verzocht om op te hoepelen. De boodschap was duidelijk, ik besta niet voor ze."

„Nou ja, dat weet je nu in ieder geval," zei Timo luchtig. „Zekerheid hebben is beter dan je voortdurend afvragen hoe het zou zijn geweest als je hem was gaan zoeken. Dan had je altijd spijt gehad dat je het niet had gedaan. Nu weet je waar je aan toe bent en kun je het achter je laten."

„Denk je werkelijk dat dat zo makkelijk gaat? Het is mijn váder."

„Nee, hij is je verwekker. Kind, hij wil je niet, waar maak je je dan nog druk om? Je hebt hier een vader die altijd goed voor je is geweest."

„Dat weet ik wel, toch is het anders. Zonder mijn gevoelens voor Arjan tekort te doen denk ik toch dat iedereen wil weten waar hij of zij vandaan komt. Het is belangrijk om je roots te ontdekken, te weten wie je bent en waar je van afstamt."

„Waarom?" wilde Timo weten. „Jij bent wie je bent, daar staat je genetische familie buiten."

„Ach, je snapt er niets van." Met een klap zette Romy het lege flesje op de tafel, die bezaaid was met kringen. „Dat neem ik je overigens niet kwalijk, want ik snap mezelf niet eens. Tot een jaar geleden taalde ik niet naar mijn biologische ouders, nu vind ik het ineens belangrijk dat ze me erkennen en van me houden. Een mens blijft een vat vol tegenstrijdigheden, dat blijkt maar weer."

„Je echte moeder is in ieder geval blij met je, dat kun je wel zien aan die stapel cadeaus die je voor je verjaardag kreeg," meende Timo.

Alsof het alleen daarom ging, dacht Romy bij zichzelf. Ze zei er echter niets op terug. Ze had van tevoren geweten dat ze hier niet goed met Timo over kon praten. Timo leefde van dag tot dag, had geen enkele ambitie en dacht nergens dieper over na dan strikt noodzakelijk was. Soms kon dat een verademing zijn, ontdekte Romy, maar het hield tevens in dat een diepzinnig gesprek met hem onmogelijk was. Die cadeaus interesseerden haar niets. Veel liever had ze geleefd in de wetenschap dat ze gewenst was bij allebei haar ouders en dat ze niet was weggegeven als iets onbeduidends. Gek, ze had er nooit moeite mee gehad dat ze geadopteerd was, de laatste dagen vond ze het echter moeilijk te verteren. Het leek wel of alle emoties van eenentwintig jaar ineens tegelijk naar buiten kwamen. Zou ze het anders ervaren hebben als

Eric van Haaksbergen haar als zijn dochter erkend had? Ze wist het niet en wilde er ook niet over nadenken. De feiten lagen er en die had ze te accepteren, al was het moeilijk.

„Ik wil niet terug naar Franka," zei ze opeens.

„Vanwege je vader? Arjan, bedoel ik."

„Onder andere. Daar hoef ik inderdaad geen getuige van te zijn, maar er speelt meer. Ik begin me af te vragen waarom ze in hemelsnaam een kind heeft gekregen van zo'n man. Het had niet nodig hoeven zijn." Plotseling stroomden de tranen over haar wangen. „Ik heb me als kind nooit ongewenst gevoeld, maar nu wel. Het is een rotgevoel."

„Je bent niet ongewenst door Franka," probeerde Timo haar onhandig te troosten.

„Ze heeft me anders wel afgestaan. Eerst wilde ze me niet, nu doet ze alles om me voor zich te winnen. Niet uit liefde, maar uit egoïstische overwegingen. Zomaar vanuit het niets wil ze dat we een echte moeder-dochterrelatie krijgen, alsof dat zomaar kan. Die jaren zijn niet uit te wissen, nooit. Wat ze nu met Demi heeft kunnen wij niet meer inhalen."

„Hier, neem nog wat te drinken." Schutterig klopte Timo haar op haar schouder. „En maak je niet zo druk. Je bent toch niet verplicht om bij haar te wonen? Je bent volwassen, je kunt doen wat je zelf wilt."

„Ik wil ook niet terug naar huis, daar is Freek."

„Dan blijf je toch lekker hier?" stelde Timo nonchalant voor. „Ik vind je een leuke meid en we kunnen het samen goed vinden. Het zal best gezellig zijn."

„Meen je dat nou?" Romy keek hem met betraande ogen aan.

„Natuurlijk. Alleen is maar alleen tenslotte." Hij sloeg een arm om haar schouder en drukte een kus op haar natte wang, daarna daalde hij af naar haar lippen. Romy liet het willoos gebeuren. Ze lag zo overhoop met zichzelf dat ze er niet eens bij nadacht. Timo wilde dat ze bij hem bleef, dat was het enige wat telde.

Na een paar minuten maakte ze zich los uit zijn omhelzing. Het was inmiddels halfzeven en Franka verwachtte haar ieder moment thuis.

„Ik moet Franka bellen, zeggen dat ik niet terugkom."

„Waarom? Zo zorgzaam zijn ze voor jou ook niet."

„Ik kan ze niet zomaar in ongerustheid laten zitten." Ze pakte haar mobiel uit haar tas en toetste het nummer van Franka in.

„Met Franka," klonk het opgewekt.

„Met mij," zei Romy kort.

„Ha lieverd. Hoe laat kom jij thuis? Ine heeft al voor het eten gezorgd, we hoeven het alleen nog maar op te warmen."

„Ik kom niet thuis."

„Niet? Waar ben je dan? Blijf je soms bij Heidi eten?" vroeg Franka onzeker. Er lag een klank in Romy's stem die haar nerveus maakte. „Of moet je overwerken?"

„Ik ben niet wezen werken vandaag. Ik heb mijn vader opgezocht," zei Romy vlak.

„Je vader?" herhaalde Franka verwezen. „Bedoel je…?"

„Mijn biologische vader, ja. Eric van Haaksbergen. De man waar jij zo vreselijk verliefd op was, maar die je heeft laten vallen als de beroemde baksteen en die mij onmiddellijk de deur wees toen ik vertelde wie ik was." Het klonk kil.

„Dat spijt me heel erg voor je," zei Franka na een korte stilte. „Kom alsjeblieft naar huis, dan kunnen we er rustig over praten."

„Welk huis? Ik heb geen huis meer. Mijn moeder hokt met jouw echtgenoot en jij…" Ze stokte.

„Wat is er met mij? Romy alsjeblieft, zeg me wat er aan de hand is zodat ik je kan helpen! Waar ben je nu?"

„Dat doet er niet toe. Ergens waar ik welkom ben in ieder geval."

„Dat ben je hier ook," zei Franka onmiddellijk. „Meer welkom dan je zelf beseft. Kom alsjeblieft naar me toe, ik heb je nodig."

„Daar had je eenentwintig jaar geleden aan moeten denken," zei Romy bitter. „Bel mijn vader maar. Arjan bedoel ik in dit geval. Hij vliegt vast onmiddellijk naar je toe als je hem roept."

„Wat bedoel je daarmee? Romy!" Franka praatte echter

tegen een dode lijn, Romy had de verbinding verbroken. Duizelig legde ze de hoorn neer. Wat was dit allemaal? Wat was er zo plotseling in Romy gevaren? Gisteren had ze nog zo met haar meegeleefd en had ze snikkend om haar hals gehangen en nu… Ze had geklonken alsof ze haar haatte, besefte Franka geschrokken. Ze kon moeilijk geloven dat dit alleen het gevolg was van haar mislukte bezoek aan Eric, er moest meer aan de hand zijn. Maar wat? En waar was ze nu? En wat had ze bedoeld met de opmerking dat ze Arjan maar moest bellen? Niets dan vragen tolden door Franka's hoofd, zonder dat ze er een bevredigend antwoord op kon bedenken. Ze belde inderdaad naar Arjan, omdat ze zo snel niets anders wist te bedenken wat ze kon doen. De kraamverpleegster was al naar huis, Freek was weg. Demi lag boven te slapen en het huis grijnsde Franka leeg aan.

Arjan was niet thuis, maar zijn mobiele telefoon nam hij gelukkig wel op. „Ik kom direct naar je toe," beloofde hij toen hij uit Franka's onsamenhangende verhaal begreep dat Romy weg was. Hij onderbrak zijn vergadering, iets wat hem niet in dank werd afgenomen, maar waar hij zich niets van aantrok. Nog geen kwartier later parkeerde hij zijn auto bij Franka voor de deur.

„Doe nu alsjeblieft rustig," verzocht hij. Franka zat te trillen als een rietje, ze was zelfs te overstuur om te kunnen huilen. „Vertel eens in chronologische volgorde wat er precies aan de hand is."

„Maar dat weet ik juist niet," jammerde Franka. „Ik begrijp er echt helemaal niets van. Gisteravond was er niets aan de hand, vanochtend volgens mij ook nog niet, al vond ik dat ze zich nogal vreemd en stug gedroeg. Ze is op de normale tijd weggegaan en daarnet belde ze me met de mededeling dat ze niet meer terugkomt. Ze wil hier niet langer wonen, maar ze zei niet waarom. Ze heeft vandaag haar biologische vader opgezocht, maar het verband tussen dat bezoek en haar afwijzing van mij zie ik niet."

„Waar is ze nu?"

„Ook dat weet ik niet, dat heeft ze er niet bij gezegd."

„Arme Romy, ze is behoorlijk van slag af." Verslagen nam Arjan plaats naast Franka op de bank. „Geen wonder ook. Ze heeft heel moeilijke maanden gehad, emotioneel gezien. Gisteren kwam daar de breuk van Freek en jou bij en vandaag het bezoek aan die Eric. Ze moest een keer afknappen, denk ik. Ik zal Petra bellen dat ze extra op haar moet letten." „Als ze daar is," merkte Franka nadenkend op. „Ik kreeg de indruk dat ze schoon genoeg heeft van ons allemaal."

„Wat niet zo heel vreemd is. De relatie tussen Freek en Petra heeft er diep ingehakt bij haar. Ze voelde zich verraden," wist Arjan. „Enfin, ik zal Petra toch maar even bellen." Hij voegde de daad bij het woord.

Petra nam onmiddellijk op, alsof ze naast de telefoon zat. Arjan wist niet dat dat ook werkelijk zo was. Ze was verschrikkelijk ongerust over Romy, al had Franka haar de vorige avond nog gebeld om te vertellen dat Romy bij haar zou blijven. Ze had echter de hele dag al een onrustig gevoel en Arjans telefoontje bewees haar dat ze dat niet voor niets had gehad.

„Het is mijn schuld," zei ze vol zelfverwijt.

„Dat is onzin. Je hebt haar niet willens en wetens het huis uitgejaagd, dit was een samenloop van omstandigheden," merkte Arjan verstandig op. „Hier hebben we niets aan, Petra. Laten we onze hersens erbij houden en nadenken waar we haar kunnen vinden."

„Haar mobiel neemt ze in ieder geval niet op, dat heb ik al geprobeerd. Bij Heidi is ze ook niet. Voor de rest weet ik het niet, Arjan. Ze heeft vrienden en kennissen zat, maar met niemand is ze zo hecht dat ze ernaar toe zou vluchten."

„Ik denk dat ze niet gevonden wil worden en misschien moeten we dat maar respecteren." Vermoeid wreef hij over zijn voorhoofd. „Ze is tenslotte volwassen en geen impulsieve, recalcitrante tiener. Ik denk dat ze even rust nodig heeft om bij te komen."

„Dat vind ik prima, maar ik wil toch wel graag weten of het goed met haar gaat en of ze niet ergens in de goot ligt," merkte Petra vinnig op.

„Romy kennende hoef je daar niet bang voor te zijn. In ieder geval heeft ze wel opgebeld om te vertellen dat ze niet naar huis kwam, dus het is niet haar bedoeling om iedereen in de zenuwen te laten zitten. Zoveel verantwoordelijkheidsgevoel heeft ze gelukkig wel." Vervolgens lichtte hij Petra in over het mislukte bezoek van Romy aan haar vader. Petra luisterde stil naar het relaas.

„Arme Romy," zuchtte ze. „Het kind treft het niet. Alles komt ook tegelijk voor haar. Ik zal Freek in ieder geval even bellen, hij wil ook graag op de hoogte worden gehouden."

„Is hij niet bij jou dan?" vroeg Arjan verbaasd.

„Natuurlijk niet. Hij heeft net zijn echtelijke woning verlaten, denk je nou werkelijk dat hij hier meteen ingetrokken is? Daar moeten we allebei niet aan denken. We houden van elkaar en dat is voorlopig genoeg. Onze relatie heeft tijd nodig om tot bloei te komen, we willen niets overhaasten. We hebben Franka niet bedrogen, Arjan, ik wil dat je dat weet. Zelf denkt ze er waarschijnlijk anders over, maar er is niets gebeurd waar we ons voor moeten schamen. We hebben dit allebei niet gezocht," zei Petra ernstig.

„Dat dacht ik al," zei Arjan. Ondanks zijn zorgen over Romy grinnikte hij even. „Ik kon me al niet voorstellen dat jullie er een stiekeme verhouding op na hadden gehouden. En maak je geen zorgen over Franka," voegde hij er snel aan toe toen Franka de kamer verliet omdat Demi begon te huilen. „Ze heeft er geen hartzeer van. Bovendien ben ik er om haar op te vangen."

„O, zit dat zo?" begreep Petra meteen. Wat Arjan betrof had ze aan een half woord genoeg.

„Weet Romy daarvan?"

Er viel een lange stilte na die vraag. Arjan dacht razendsnel na.

„Denk je dat haar houding daarmee te maken heeft?" vroeg hij.

„Ik kan me er wel iets bij voorstellen. Ze had mij net betrapt met Freek, als ze ook een vermoeden heeft van jouw gevoelens moet dat erg moeilijk voor haar zijn. Voeg daarbij dat mislukte bezoek aan haar vader en voilà. Dan is het zeker niet vreemd dat ze even bij moet komen van alle emoties."

„Dan voelt ze zich nu waarschijnlijk erg eenzaam en verloren," begreep Arjan. „Bel je me meteen zodra je iets van haar hoort?"

„Doe ik, als jij me tenminste hetzelfde belooft," antwoordde Petra.

Ze verbraken het gesprek en Arjan bleef peinzend midden in de kamer staan. Hij schrok op toen Franka de kamer weer betrad.

„Demi slaap weer," deelde ze mee. „Ze had alleen een vieze luier."

„Zou jij niet even gaan liggen?" stelde hij voor. „Met al die verwikkelingen zou je bijna vergeten dat je nog maar net bevallen bent. Het is geen leuke kraamtijd voor jou zo."

„Ik had me er wel iets anders bij voorgesteld, ja," zei Franka op haar oude, nuchtere wijze. Vroeger reageerde ze vaak zo, de laatste tijd was ze haar relativeringsvermogen echter een beetje kwijtgeraakt. Sinds Romy terug was in haar leven leek ze wel een ander persoon te zijn geworden. Ze merkte het zelf, maar was niet bij machte het te veranderen. Misschien lag dat ook aan haar zwangerschap, want sinds Demi er was werd ze langzamerhand weer haar oude zelf. Het waren dan ook zware, emotionele maanden geweest, in diverse opzichten. De onverwachte zwangerschap, de hereniging met haar oudste dochter, de strijd om haar liefde, de verwijdering van Freek die steeds duidelijker werd, haar ontluikende gevoelens voor Arjan. Alles bij elkaar was het wel erg veel, maar alles begon nu op zijn plek te vallen.

„Heeft Romy nog iets bijzonders gezegd vanmorgen?" vroeg Arjan nadat hij Franka met een deken op de brede bank had geïnstalleerd. Hij ging aan de andere kant zitten en legde haar voeten met een vanzelfsprekend gebaar op zijn schoot. „Iets over mij?"

„Nee. Daarnet aan de telefoon overigens wel," antwoordde Franka nadenkend. „Ze zei dat ik jou maar moest bellen en dat jij ongetwijfeld meteen naar me toe zou komen, maar ik begreep niet wat ze daarmee bedoelde."

„Dus toch," knikte Arjan. Het was voor hem nu wel duidelijk dat Romy hem doorzien had. Hij draaide zijn hoofd in Franka's richting. „Begrijp je het werkelijk niet?" vroeg hij zacht.

Franka kleurde onder zijn indringende blik. Ze plukte nerveus aan de deken en gaf geen antwoord. „Als Romy het heeft gemerkt, kan het jou toch niet ontgaan zijn?" drong Arjan aan. „Je moet weten hoeveel ik om je geef."

„Vind je dit het juiste moment om daarover te praten?" zei Franka. Ze durfde hem niet aan te kijken, bang dat haar ogen haar gevoelens zouden verraden. Het ging opeens zo snel allemaal. Té snel voor haar.

„Dit is het perfecte moment," zei Arjan echter. Hij pakte haar hand en hield die stevig vast. „Het is allemaal heel raar gelopen, maar dat maakt mijn gevoelens voor jou niet minder. Integendeel kan ik wel zeggen. Ik heb je altijd bewonderd om je kracht en je strijdlust. Dwars tegen ieders advies in volgde je hardnekkig je eigen weg om Romy voor je te winnen. Ik hou van de manier waarop je dat aanpakte. Ik hou van jou."

Franka kneep zijn vingers bijna tot moes. Deze directe bekentenis overviel haar, al had ze het al die tijd onbewust geweten.

„Ik vraag je niet om mij ook onmiddellijk je liefde te verklaren, wel wil ik graag weten of er een kansje inzit voor me. Denk je dat wij samen iets op kunnen bouwen in de toekomst?"

„Ik ben niet alleen," zei Franka in plaats van hem een antwoord te geven.

„Met samen bedoelde ik ons drieën," verklaarde Arjan rustig. „Demi hoort er als vanzelfsprekend bij. Zij is een extra geschenk in onze relatie, want je weet dat ik zelf geen kinderen kan krijgen. Ik heb Romy, jouw dochter, opgevoed als de mijne en ik vind het een fantastisch idee dat ik ook voor Demi een vader kan zijn."

De tranen sprongen in Franka's ogen bij deze simpele verklaring. Er sprak zoveel oprechte liefde uit.

„In dat geval heb je een behoorlijk grote kans, ja," antwoordde ze schor.

Ze keken elkaar aan en glimlachten. Verdere woorden waren overbodig en op dit moment niet op hun plaats, wisten ze allebei. Franka's huwelijk was net op de klippen gelopen, ze had een baby gekregen en ze maakten zich allebei zorgen over Romy. Hun ontluikende relatie kwam nu nog even niet op de eerste plaats, maar dat hinderde niet. Hun tijd kwam vanzelf wel, als alles weer wat rustiger werd. Hun gevoelens waren in ieder geval duidelijk.

De rest van de avond brachten ze grotendeels zwijgend, maar in volledige harmonie door. Demi werd wakker voor haar laatste fles, die Arjan haar liefdevol gaf terwijl Franka toekeek. Het was of ze eventjes een blik in de toekomst wierp. Ondanks de zorg voor Romy was er een gevoel van rust over haar gekomen waar ze zich heel prettig bij voelde. Het kwam allemaal goed, wist ze. Dat kon niet anders met de steun van Arjan aan haar zijde. Wat hij in haar losmaakte was Freek nooit gelukt. Bij Arjan voelde ze zich veilig, geborgen en geliefd.

HOOFDSTUK 18

Romy liep danig met haar ziel onder de arm. Ze wist simpelweg niet meer hoe ze verder moest, ze was in een impasse geraakt. Ze liet regelmatig een berichtje achter op het antwoordapparaat van haar moeder, zodat ze niet in onzekerheid hoefden te zitten over hoe het met haar ging, maar verder contact zocht ze niet. Daar had ze even geen behoefte aan.

Ze had tijd nodig om tot zichzelf te komen en alles wat er het laatste jaar gebeurd was op een rijtje te krijgen. Niemand wist waar ze was en dat wilde ze nog even zo houden. Aan Timo dacht haar familie niet. Ze had er nooit blijk van gegeven dat ze hem graag mocht, bovendien kenden ze hem amper. Zelfs Heidi had ze niet verteld waar ze verbleef en haar contact met haar neef was niet zo intensief dat ze zelf op die gedachte kwam. Romy vond het wel even lekker rustig zo. Ze liep nog steeds in de ziektewet en al met al was het niet ongezellig met Timo samen. Ze hadden geen relatie samen in die zin van het woord, al zou hij het graag anders zien. Romy moest daar echter niet aan denken. Timo was absoluut niet de juiste man voor haar, daar was ze zich heel goed van bewust. Haar mening over hem was niet veranderd, al waardeerde ze het enorm dat hij haar hielp en zijn etage voor haar openstelde. Tenslotte kende ze hem nauwelijks en waren ze niet bepaald goede vrienden, toch leek hij er geen enkele moeite mee te hebben om haar te helpen zonder dat hij er iets voor terugverwachtte. Zijn eerste aarzelende verleidingspogingen had ze resoluut van de hand gewezen en hij had niet verder aangedrongen.

„Jammer," had hij alleen laconiek gezegd. „Ik zie het wel zitten tussen ons."

„Ik niet," was Romy's repliek geweest. „Wij passen totaal niet bij elkaar, daarvoor verschillen we te veel."

„Daarom kunnen we toch wel een beetje lol maken?" Hij had haar wellustig aangekeken bij die woorden, maar Romy voelde zich niet bedreigd door hem. Ze had erom gelachen en hij had daar luchtig als altijd op gereageerd.

Het kon raar lopen in het leven, peinsde Romy. Ze was vroeg wakker geworden en had een kop oploskoffie voor zichzelf gemaakt. Timo sliep nog. Hij lag op de tweezitsbank in de kamer, die uitgeklapt kon worden tot bed. Leunend tegen het aanrecht van de in de hoek geïmproviseerde keuken keek ze naar hem. Wie had een maand geleden kunnen denken dat ze Timo als een vriend zou gaan beschouwen? Maar ja, wie had er toen ook kunnen denken dat Petra en Freek en Franka en Arjan twee stellen zouden gaan vormen? Daar kon ze nog steeds niet over uit. Het voelde zo vreemd, zo bizar. Ze wist dat ze nooit het moment zou vergeten waarop ze haar moeder en Freek in een innige omhelzing had betrapt. Het had alles overhoop gegooid voor haar. Alles waar ze in geloofde en alle normen en waarden waar ze mee was opgegroeid, waren in één klap tenietgedaan. Zelfs nu ze rustig de tijd had gehad om het te laten bezinken kon ze het nog niet goed bevatten. Het stuivertje wisselen van haar ouders had in ieder geval een enorme impact op haar en nog steeds voelde ze zich buitengesloten onder deze verwikkelingen. Toch begon ze steeds meer naar huis te verlangen, ontdekte ze. Eigenlijk wilde ze niets liever dan als vanouds met haar moeder aan de keukentafel zitten kletsen over alles wat haar bezighield. Maar dat was nu juist het probleem. Wat haar op dit moment het meeste bezighield kon ze niet met haar moeder bespreken. Toen ze Timo's voorstel om voorlopig hier te blijven had aangenomen, had ze zich vast voorgenomen om Franka's lijfspreuk toe te passen. Een dag wachten met reageren en alles eerst rustig overdenken. Die dag was nu al uitgegroeid tot vijf dagen en nog steeds wist ze niet wat ze moest doen. Ze kon niet gezellig terugkeren in de familieschoot en net doen of alles normaal was. Trouwens, welke familieschoot? Bij haar moeder, waar Freek was? Of bij Franka, waar ze haar vader wist? Het klopte allebei niet voor haar gevoel. Het beste zou zijn als ze inderdaad op zichzelf ging wonen, al keek ze daar ook niet echt verlangend naar uit. Hoewel ze eenentwintig was had ze nog niet de behoefte gevoeld om een eigen nestje te bouwen. Tot nu toe had ze het uitstekend naar haar zin gehad bij haar moeder thuis. Ooit wilde ze natuurlijk wel op eigen benen staan, maar dat had ze steeds voor zich uit geschoven omdat er geen directe reden voor was. In haar ouderlijk huis was het gezellig en goedkoop, bovendien had ze er alle vrijheid. Nu was die veilige haven echter weggevallen. Romy moest er niet aan denken om haar ouderlijk huis te moeten delen met Freek.

Ze wist niet dat daar geen sprake van was. Freek had via een bevriende zakenrelatie een flatje kunnen huren waar hij ingetrokken was. Zijn relatie met Petra verdiepte zich, maar allebei wisten ze dat ze de zaken niet moesten overhaasten. Hun volgende stap kwam vanzelf wel, als de tijd daar rijp voor was. Romy ging er echter zonder meer van uit dat Freek bij haar moeder was gaan wonen. Hoe het met Franka en haar vader ging wist ze verder niet, maar dat er diepere gevoelens tussen die twee waren stond voor haar vast, ook al was er in haar bijzijn niets over gezegd. Het was en bleef verwarrend voor haar.

Kerstmis naderde. In drie huizen werd daar niet, zoals anders, verlangend naar uitgekeken. Petra dacht met weemoed terug aan de feestdagen van vroeger, toen ze met Arjan en Romy nog een gezin vormde. De laatste jaren, alleen met Romy samen, waren ook goed geweest. Nu was dat anders. Het werd haar eerste kerst met Freek, maar het geluksgevoel dat ze zich daarbij had voorgesteld had ze niet. Het klopte niet zonder Romy erbij. Haar dochter hoorde bij haar te zijn. Natuurlijk zou Romy niet haar hele leven lang kerst met haar moeder vieren, maar nu was hun contact zo abrupt en op zo'n rare manier verbroken dat Petra nergens anders aan kon denken. Ze probeerde het niet te laten merken aan Freek en toch wat gezelligheid te creëren in huis, maar de echte stemming wilde niet komen. Ieder aan een kant van de kerstboom zaten ze elkaar onwennig aan te kijken.

Het was Freek die het gesprek op Romy bracht.

„Je hoeft niet krampachtig net te doen of er niets aan de hand is," zei hij kalm. „Ik begrijp volkomen dat je met je gedachten bij Romy bent."

„Het is zo vreemd." Petra staarde in het vuur van de open haard, dat gezellig flakkerde. „We hebben altijd een ijzersterke band gehad samen, dat kan toch niet zomaar voorbij zijn?"

„Dat is het ook niet," probeerde Freek haar te troosten. „Dit is tijdelijk, vergeet dat niet. Ze komt vanzelf wel weer tot rust. Geef haar wat tijd."

„Dat zegt Arjan ook steeds, maar hoe lang duurt dat? Het is nu ruim een week geleden dat ze hier overstuur het huis uit liep, ik maak me zorgen over haar. Hoe is het nu met haar, waar is ze, wat doet ze op dit moment? Het laat me niet los. Als ik zou weten waar ze is, ging ik nu onmiddellijk naar haar toe."

„Ik denk dat ze dat juist niet wil. Romy heeft even afstand nodig."

„Tijd, afstand," mopperde Petra. „Dat klinkt allemaal leuk en aardig, maar wat er volgens mij aan schort is simpelweg een goed gesprek met zijn allen. Dit is zo'n rare situatie, voor ons allemaal. Franka en ik zijn beiden moeder van Romy, de zorgen om haar zouden ons juist dichter bij elkaar moeten brengen."

„Misschien was dat ook het geval geweest als ik er niet tussen had gezeten," merkte Freek bedachtzaam op. „Van haar standpunt uit bezien heb jij mij van haar afgepakt, logisch dat ze zich nu niet tot jou keert met haar zorgen."

„Als jij niet verliefd op mij was geworden was Romy er niet vandoor gegaan, dan was er niets aan de hand geweest," zei Petra fijntjes. „Alles grijpt in elkaar, zoals het al van het begin af aan gaat. De ene gebeurtenis volgt uit de andere en het proces is niet te stoppen."

„Ons aller leven is wel volledig overhoop gehaald door Franka's besluit om haar oudste dochter op te sporen," gaf Freek toe. „Toch ben ik blij dat ze het gedaan heeft, anders had ik jou nooit ontmoet. Jij bent me alle ellende waard, dat

180

is zeker." Hij stak zijn hand naar haar uit en zij pakte hem stevig vast. Het drong tot haar door dat zij niet de enige was die het moeilijk had. Freek had zijn eigen dochtertje, het kind waar hij zo trots op was en wier komst hem zo gelukkig had gemaakt, al ruim een week niet gezien. Franka weigerde tot nu toe alle contact en om de zaken niet verder op de spits te drijven drong Freek niet verder aan. Het was allemaal al gecompliceerd genoeg.

„Het spijt me dat ik zo zeur," zei ze berouwvol. „Jij hebt het ook niet makkelijk, maar je klaagt er ook niet over. Zullen we samen een uitgebreid diner klaarmaken en daarna lekker eten? Kom, we gaan het gewoon gezellig maken, tobben helpt toch niet."

Met de armen om elkaar heen geslagen liepen ze naar de keuken in een goedbedoelde, maar povere poging om hun eerste kerst samen tot een succes te maken. Het lukte niet echt, ze bleven toch allebei met hun gedachten cirkelen om de mensen die ze zo lief hadden. Romy en Demi.

Ook bij Franka en Arjan was de kerststemming ver te zoeken. Franka had dit jaar wel iets anders aan haar hoofd gehad dan haar huis versieren en het kerststuk dat Arjan voor haar meebracht stond enigszins misplaatst op de tafel.

„Het voelt helemaal niet als kerst," merkte Franka triest op. „Gek, ik heb helemaal geen herinneringen aan feestdagen met Romy samen, toch mis ik haar vandaag extra, alsof het de eerste kerst is zonder haar in plaats van de eenentwintigste."

„Probeer te genieten van je eerste kerst met Demi, want die komt nooit meer terug," adviseerde Arjan haar.

Franka snoof. „Alsof ik momenteel echt kan genieten," zei ze bitter. „Daarvoor is er te veel gebeurd en te veel onopgehelderd. Ik heb eens goed nagedacht, Arjan."

„O ja? Je beroemde vierentwintiguursmethode?" vroeg hij plagend.

Franka lachte even. „Ik vrees dat het deze keer langer heeft geduurd. Er zijn veel dingen die ik verkeerd heb aangepakt, zeker de laatste maanden. Ik heb Romy veel te veel op haar huid gezeten."

„Onder de gegeven omstandigheden zal geen zinnig mens je dat kwalijk nemen," zei Arjan kalm.

„Misschien niet, maar het effect blijft hetzelfde. Door mijn houding heb ik haar juist van me afgeduwd, dat zie ik nu pas in. Alles was gefixeerd op Romy. Ik wilde zo graag haar liefde winnen dat ik als een tank over alles en iedereen heen ben gewalst. Ook over Freek."

„Denk je dat jullie nog gewoon bij elkaar waren geweest als je dat niet had gedaan?" vroeg Arjan gespannen. Voor hem hing veel van haar antwoord af. Hij wilde niet dienen als troostprijs omdat ze Freek was kwijtgeraakt.

Franka schudde haar hoofd. „Nee, dat zeker niet." Het klonk stellig en zonder aarzeling. „Voor ik zwanger raakte van Demi was het al over tussen ons. Als het niet zo was geweest, had jij echt niet zo snel je kans gehad bij me, mannetje." Ze kietelde hem in zijn buik, iets wat hij afstrafte door haar te zoenen. „We hielden al heel lang niet meer van elkaar," vervolgde ze toen ze even later weer rustig tegen hem aan lag. „Dat wisten we allebei, maar we hebben nooit actie ondernomen. Toen Demi zich eenmaal aankondigde bleven we als vanzelfsprekend samen, maar niet bewust. Ik ergerde me aan Freek, hij ergerde zich aan mij. Hij heeft zich nooit kunnen vinden in mijn houding tegenover Romy en dat liet hij ook duidelijk blijken. Ik werd daar weer kwaad om en zo werd onze verwijdering steeds groter, tot we geen normaal gesprek meer konden voeren samen. Ik had dat eigenlijk niet eens echt in de gaten, omdat ik veel te veel in beslag werd genomen door Romy. Zij was alleen nog maar belangrijk voor me. Freek stond me daarbij alleen maar in de weg, dus toen Maaike met het verhaal kwam dat ze Freek en Petra samen had gezien was dat een hele mooie reden voor mij om van hem af te komen. Ik heb er geen seconde verdriet om gevoeld, alleen maar opluchting. Petra mag hem hebben."

„Dat laatste klinkt nou niet echt hartelijk," plaagde Arjan.

„Ik bedoelde het positief. Ze mag hem echt hebben, ik hoop dat ze heel gelukkig worden samen, heus. Ik heb echt geen hekel aan Petra. Ze is de moeder van mijn dochter, alleen daarom al heb ik respect voor haar."

„En Freek is de vader van je andere dochter. We zullen altijd met ze te maken blijven hebben," zei Arjan ernstig.

Weer knikte Franka. „Ook daar heb ik over nagedacht. Het wordt hoog tijd dat er onderling goede afspraken komen. Freek heeft al een paar keer gebeld met de vraag of hij Demi mag zien, maar dat heb ik afgeketst. Ik kon het even niet aan om hem onder ogen te komen, maar uiteraard moet dat veranderen. Hij heeft recht op een goede bezoekregeling. Op de een of andere manier moet het toch lukken om twee goede, liefdevolle huizen te creëren voor de kinderen? Zowel voor Romy als voor Demi is dat belangrijk."

„Niet alleen voor hen, ook voor ons," meende Arjan. „Ik wil de vriendschap met Petra en Freek niet graag kwijtraken. Het wordt inderdaad tijd voor een goed gesprek. Zal ik ze bellen en een afspraak maken?"

„Waarom gaan we er niet meteen heen?" stelde Franka impulsief voor. „Ik kan me toch niet voorstellen dat zij momenteel zo lekker in hun vel zitten. Zullen we het er gewoon op wagen en ze overvallen?"

Ze keken elkaar even peilend aan voor Arjan bedachtzaam knikte. „Waarom niet? We zijn vier volwassen mensen die elkaar niets hoeven te verwijten. Laten we maar eens goed om de tafel gaan zitten en de dingen voor eens en altijd uitpraten. Dan kunnen we daarna met een schone lei beginnen."

„Samen met Romy," hoopte Franka. „Het kan me nu niet eens meer schelen waar ze wil gaan wonen, als ze maar terugkomt en het contact herstelt."

„Houd moed, het komt echt wel weer in orde," sprak Arjan bemoedigend. Zorgzaam trok hij Demi een jasje aan en zette haar in het speciale babyzitje voor in de auto terwijl Franka toekeek. Wat er ook nog te gebeuren stond, het was het beste besluit van haar leven geweest om Romy op te sporen, dacht ze dankbaar. Het had haar meer geluk geschonken dan ze ooit had durven hopen, in de vorm van deze man. De vader van Romy. Weliswaar niet de biologische, maar wel de echte. Het was een fijn gevoel dat Romy's welzijn voor hem net zo belangrijk was als voor haar.

Het was Freek die de deur opende op hun bellen. Stomverbaasd keek hij in de gezichten van zijn vrouw en zijn vriend, daarna gleden zijn ogen naar Demi, die in de armen van haar moeder lag te slapen.

„Demi," zei hij zacht. Automatisch strekte hij zijn armen naar haar uit en Franka legde de baby er zonder bedenkingen in.

„Het spijt me dat ik je tegenhield om haar te zien," zei ze zacht.

„Ik begreep het wel. Ik begin een heleboel dingen te begrijpen," zei Freek met zijn ogen op Demi gericht.

„Daar kan ik me weinig bij voorstellen. Ik heb rare dingen gedaan."

„Gedreven uit liefde voor je kind. Ik heb ook tijd gehad om na te denken en ik zie nu waar het fout is gelopen. Ik veroordeelde je houding, terwijl ik je had moeten steunen. Ik zou ook rare dingen doen om Demi voor me te winnen als dat nodig is. Ik dacht dat ik gek werd van verlangen naar haar, de afgelopen dagen. Je eigen kind is zo'n onvervreemdbaar deel van een mens, dat is nergens anders mee te vergelijken."

„Zullen we in de kamer verder praten?" stelde Arjan nuchter voor. „We staan hier zo opgepropt in het halletje." Die droge opmerking brak het ijs.

Lachend gingen ze de kamer in, waar Petra hen hartelijk begroette. Door een kier van de deur had ze al gezien wie er waren en het had haar beter geleken om zich even niet in de hereniging tussen vader en zijn piepkleine dochtertje te mengen. Ontroerd had ze toegekeken hoe gelukkig Freek was nu hij Demi weer in zijn armen mocht houden. Alleen al door dit gebaar kon ze Franka veel vergeven.

„Ik ben blij dat jullie gekomen zijn," zei ze eenvoudig.

„Het werd tijd," zei Franka met haar ogen vast in die van

184

Petra. „Tenslotte hebben we met zijn vieren twee kinderen, die moeten we een veilige thuisbasis kunnen geven."

En dat was precies de kern van het verhaal, dacht Petra bij zichzelf terwijl ze voor haar gasten iets te drinken inschonk. Ze vormden een ingewikkelde familie zo bij elkaar, maar dat hoefde geen belemmering te vormen voor hun geluk en het geluk van Romy en Demi. Daar had ze alles voor over. Romy was haar dochter, Demi het kindje van de man waar ze van hield. Voor Arjan gold dat ook. Romy was zijn kind, Demi het kind van de vrouw waar hij zijn leven mee wilde delen. Franka was van allebei de biologische moeder. Freek was de vader van Demi en had zich van het begin af aan een vaderfiguur getoond voor Romy. Zo greep alles in elkaar, een kluwen van relaties, het verhaal van hun leven.

HOOFDSTUK 19

Terwijl de twee ouderparen bespraken hoe ze in de toekomst met elkaar om konden gaan om het voor zichzelf, maar vooral voor Romy en Demi zo gemakkelijk mogelijk te maken, bracht Romy die eerste kerstdag door in gezelschap van Timo en enkelen van zijn vrienden. Rond het middaguur waren er drie jonge mannen binnen komen vallen, die door Timo enthousiast werden begroet.

„Gezellig," zei hij opgewekt. „Ga zitten. Bier?"

Met afgrijzen keek Romy toe hoe ze, ondanks het vroege uur, het ene flesje bier na het andere leegden. Timo's voorraad was onuitputtelijk. Een normale boterham had hij niet in huis, maar aan drank geen gebrek, dacht Romy nijdig bij zichzelf. Ze had zich wel iets anders voorgesteld van deze dag. Niet dat ze zich op de feestdagen had verheugd, maar ze was ervan uitgegaan dat ze het samen met Timo wel gezellig zou maken. Gisteren had ze een lading boodschappen gehaald om een echt kerstdiner te kunnen maken, zoals ze ook altijd met haar moeder samen deed. Ze was echter niet van plan om de drie vrienden van Timo, die half laveloos op de bank hingen, van een maaltijd te voorzien.

Timo bleek daar anders over te denken.

„Jullie blijven toch wel eten?" vroeg hij halverwege de middag. „Ik heb nu een echte keukenprinses in huis." Hij wees naar Romy en lachte. „Ze heeft genoeg ingeslagen voor een weeshuis, volgens mij."

„Ik pieker er niet over," zei Romy kort. Ze wierp hem een boze blik toe, waar hij niet echt van onder de indruk leek te zijn.

„Hè, doe niet zo vervelend. Jij zou toch koken vandaag? Dan maakt het ook niet uit of je voor twee, of voor vijf man eten klaarmaakt. Kom op schat, doe niet zo moeilijk." Hij wilde zijn arm om haar heen slaan, maar Romy duwde hem kwaad weg.

„Ik ben je schat niet," zei ze bits.

Eén van Timo's vrienden begon luid te lachen. „Oe, dat is geen katje om zonder handschoenen aan te pakken, jongens.

Ik geloof dat we midden in een echtelijke ruzie zitten nu."
„Doe even normaal." Koeltjes keek Romy hem aan.
„Ze krabt wel, maar ze bijt niet," deelde Timo nu mee.
Opnieuw probeerde hij haar aan te halen.
„Hou daar eens mee op!" Ruw duwde Romy hem weg. Ze
werd misselijk van de alcohollucht die uit zijn mond kwam.
„Het katje wordt wild," grinnikte Timo. Hij knipoogde naar
zijn vrienden. „We temmen haar vandaag nog wel."
Toen werd Romy bang, voor het eerst. Tot nu toe had ze nog
geen enkele reden gehad om zich te beklagen over Timo's
gedrag. Hij respecteerde het feit dat ze niets met hem wilde
en had nooit echt aangedrongen. Nu was dat ineens anders.
Nu zijn vrienden erbij zaten gedroeg hij zich alsof hij rechten
op haar kon doen gelden en dat gedrag werd extra gevoed
door zijn overmatige bierconsumptie. Romy vreesde voor
wat er zou kunnen gaan gebeuren als hij echt dronken werd.
Hij en zijn vrienden. Tegen zo'n overmacht kon ze zich nooit
verweren, wist ze.
„Willen jullie nog iets drinken?" vroeg ze. Ze stond op en liep
de kamer uit, maar terwijl de vier heren dachten dat ze een
nieuwe voorraad uit de kratten pakte die op de gang opge-
stapeld stonden, pakte ze haar jas en tas van de kapstok en
rende ze de drie trappen af. Met een vaart alsof ze op de hie-
len gezeten werd vluchtte ze vervolgens de straat over, zonder erbij na te denken welke kant ze opging. Als ze eerst
maar weg was. Het liefst zo ver mogelijk voor ze tot de ontdekking kwamen dat ze ervandoor was. Haar hart bonsde
luid in haar borstkas en het zweet brak haar uit. Nog nooit
eerder was ze zo bang geweest voor wat anderen haar aan
konden doen. Timo had ze tot nu toe volledig vertrouwd,
maar zijn gedrag van die dag beviel haar absoluut niet. Zijn
vrienden kende ze niet en dat wilde ze graag zo houden,
dacht ze wrang bij zichzelf. Vooral die ene had enge ogen die
dwars door haar heen leken te kijken. Ze wilde er niet achter komen wat Timo onder invloed van drank en de aanwezigheid van zijn vrienden kon doen. Misschien was haar
reactie overdreven, maar ze bezat genoeg gezond verstand

om te weten dat alcohol rare dingen met een mens kon doen. Na een kwartier staakte ze het rennen. Hijgend leunde ze tegen een bushokje aan. Verwilderd keek ze om zich heen. Het was stil op straat en ze had geen idee waar ze zich bevond. De bus die aan kwam rijden stopte in de straat waar haar moeder woonde, dat wist ze wel. Automatisch stapte Romy in. Ze was de enige passagier, maar ze reageerde niet op het praatje dat de buschauffeur met haar aan wilde knopen. Zonder iets te zien staarde ze naar buiten. Wat nu? Waar moest ze nu naar toe? Als een robot stapte ze bij de vertrouwde halte uit en haar voeten bewogen zich in de richting van haar ouderlijk huis. Het begon inmiddels donker te worden, maar vanuit het huis straalde haar een warm licht tegemoet. Aarzelend bleef Romy staan. Eigenlijk wilde ze niets liever dan naar binnen gaan, naar haar moeder toe. De gedachte aan Freek hield haar tegen. Hoe kon ze hem onbevangen tegemoet treden onder de gegeven omstandigheden? Ze wist nog steeds niet goed wat ze van de hele situatie moest denken of hoe ze erop moest reageren.

Door het keukenraam keek ze naar binnen. Tussen de keuken en de kamer was een matglazen wand geplaatst en daar doorheen zag ze verschillende schimmen aan de grote tafel. Ook dat nog, ze hadden visite! Terwijl niemand wist waar zij, Romy, was, hadden haar moeder en Freek hun vrienden uitgenodigd om samen een gezellige kerst te vieren, dacht Romy bitter. Enfin, ze hoefde in ieder geval niet meer bang te zijn dat ze zich ongerust maakten om haar. Het tegendeel was hiermee wel bewezen. Met pijn in haar hart draaide ze zich om met de bedoeling om weer weg te gaan.

„Ik ga even een sigaret roken in de tuin," zei Freek op dat moment. Demi kreeg net de fles van Franka en hij wilde niet roken in aanwezigheid van de baby. Hij opende de buitendeur en zag nog net een donkere schim zich losmaken van het keukenraam.

„Hé, wat moet dat daar!" zei hij hard. Hij sprong naar voren en greep de jas van de schimmige figuur vast.

„Ik ben het!" riep Romy geschrokken. „Laat me los!"

„Romy?" Verbaasd liet Freek zijn armen zakken. „Kind, wat doe jij hier? Kom binnen, het is ijskoud buiten."

„Ik wil niet naar binnen." Bokkig bleef ze naar de grond staren. „Ik wil jullie gezelligheid niet verstoren. Het is me wel duidelijk dat ik niet gewenst ben."

„Hoe kom je daar nou bij?" Zijn stem klonk oprecht verbaasd.

„Jullie hebben visite."

„Franka en je vader zijn hier, we hebben de hele middag zitten praten over hoe het verder moet. Ach Romy, je hebt geen idee hoezeer we allemaal in ongerustheid hebben gezeten en hoe we je missen. Kom alsjeblieft mee naar binnen, iedereen zal dolblij zijn om je te zien."

„Echt waar?" Met nieuwe hoop in haar hart keek ze naar hem op.

„Absoluut. We maken ons enorme zorgen om je."

„Ik kan me prima redden in mijn eentje."

„Daar twijfelen we niet aan, maar we willen niet dat je het in je eentje doet. We horen allemaal bij elkaar."

„Jij hoort bij Franka."

Freek schudde zijn hoofd. „Nee Romy. Het huwelijk van Franka en mij is voorgoed verleden tijd, overigens met volledige instemming van beide kanten. We hebben niets meer samen. Ik ben oprecht van je moeder gaan houden en zij van mij. Het is op een nogal rare manier verlopen en ik kan me heel goed voorstellen dat het voor jou als een schok kwam, maar kun je ons het geluk niet gunnen?" Zijn stem klonk smekend. „Ik wil dat je weet dat we Franka nooit bedrogen hebben. De situatie is uit de hand gelopen omdat Maaike ons samen had gezien, anders had ik Franka nooit zo hals over kop in de steek gelaten."

„Heeft ze je de deur uitgezet om mij aan haar te binden?" vroeg Romy nu ronduit. Dat was iets waar ze de laatste dagen veel over had nagedacht.

Freek aarzelde even voor hij antwoord gaf. Hij wilde Franka niet afvallen, maar hij wilde ook niet liegen. Romy had recht op de waarheid. „Gedeeltelijk speelde dat mee," gaf hij dan ook toe. „Ze is je biologische moeder en wilde alles doen om jouw liefde te winnen. Veroordeel haar daar niet om, Romy. Ze houdt van je. Ik heb de laatste tijd ook ontdekt dat ik tot heel rare dingen in staat ben om Demi te kunnen zien. Gelukkig is dat nu opgelost. Franka en ik hebben net hele goede afspraken gemaakt, ook met Petra en Arjan."

„Ik heb dus een biologische vader die totaal niets met me te maken wil hebben en een biologische moeder die tot alles in staat is om me te blijven zien," concludeerde Romy droogjes alsof ze zijn laatste zinnen niet had gehoord.

„Je hebt hier twee vaders en twee moeders die van je houden en die je dolgraag willen zien. Ga naar binnen en maak ze gelukkig," zei Freek daar eenvoudig op.

Romy aarzelde. Ze wilde niets liever, maar was het werkelijk zo simpel?

„Niemand neemt jou iets kwalijk. We beseffen alle vier heel goed dat we je in een onmogelijke positie hebben gebracht, maar we hebben het met zijn vieren uitgepraat. Als wij dat kunnen moet het voor jou toch ook niet zo moeilijk zijn?" pleitte Freek. Hij legde zijn hand op haar rug en leidde haar met zachte dwang mee naar binnen. Romy stribbelde niet langer tegen.

„Romy!" Het was Petra die haar het eerst zag. Ze sprong op en omhelsde haar alsof ze haar maanden niet had gezien. „Kind, wat ben ik hier blij om."

Franka keek met glanzende ogen toe hoe moeder en dochter elkaar begroetten. Voor het eerst voelde ze niet de aanvechting om zich ertussen te dringen en haar rechtmatige plaats op te eisen. Romy was eerst en vooral Petra's dochter, besefte ze. Het gaf haar even een felle, pijnlijke steek in haar hart, toch was het goed zo. Zij zou toch altijd deel van Romy's leven uit blijven maken en daar moest ze tevreden mee zijn. Die belangrijke jaren van haar geboorte tot haar eenentwintigste kon ze nooit meer inhalen, daar moest ze ook niet langer naar streven. Ze moest gewoon blij zijn met wat ze had, ook als dat een tweede plaats betekende.

„Wat vreemd is dit," zei Romy even later. Ze zat op de bank tussen Franka en Arjan in en keek de vier mensen die zo'n belangrijke rol in haar leven speelden om beurten aan. „Zo op het oog lijkt alles nog hetzelfde, toch is alles anders geworden."

„Het is beter geworden," zei Arjan daarop. „Een paar maanden geleden zaten we ook zo bij elkaar, ja, maar toen waren je moeder en ik allebei alleen en Freek en Franka waren ongelukkig met elkaar. Nu vormen we twee gelukkige stellen. En daar draait het toch om in het leven, dat we gelukkig zijn?"

„Toch vind ik het raar. Ik kan het niet zo goed plaatsen," bekende Romy. Afwezig nam ze een glas wijn aan van Freek. „Als ik mijn biologische moeder niet had gezocht, was dit allemaal nooit gebeurd. Wie had toen kunnen denken dat het zulke verstrekkende gevolgen zou hebben?"

„Bekijk het positief," zei Arjan weer. Hij keek haar warm aan. „Dit was voorbestemd, alles valt nu op zijn plaats. Dankzij jou hebben Franka en ik en mama en Freek elkaar gevonden. Jij bent de verbindende schakel in dit geheel. Zonder jou geen geluk en dat kun je op diverse manieren uitleggen."

„Daar sluit ik me helemaal bij aan," zei Freek. Hij hief zijn glas naar haar omhoog. „Zonder Romy geen geluk. Proost!"

Bijna dronken van blijdschap nu deze zo vervelend begonnen dag zo'n onverwachte wending had genomen, nam Romy nadenkend een slok. Zo had ze het nooit bekeken, maar het klonk in ieder geval heel erg leuk. Het was een prettig idee dat zij mede verantwoordelijk was voor het geluk van anderen. Dan was ze dus toch niet voor niets geboren, dacht ze tevreden. Ongeacht wat haar biologische vader ervan dacht. Zijn mening telde hierbij gelukkig niet mee. Hij was slechts een miniem schakeltje geweest in de loop der gebeurtenissen, zij een heel grote.